脳内革命

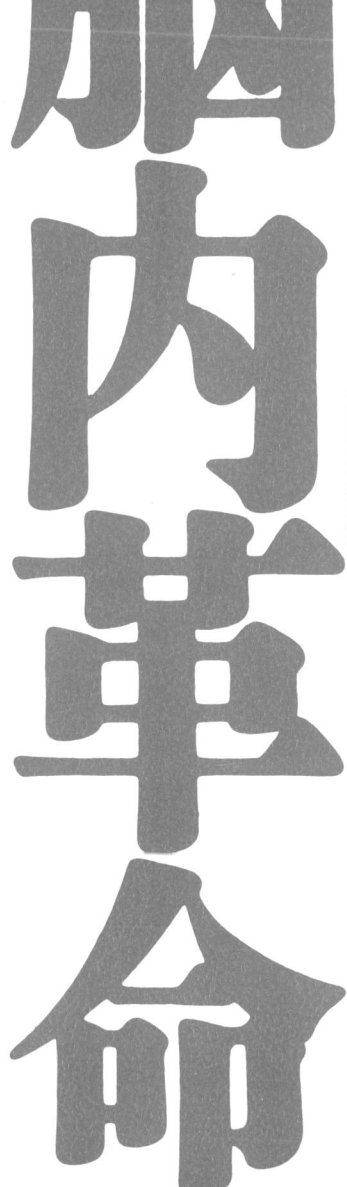

脳から出るホルモンが生き方を変える

A GREAT REVOLUTION IN THE BRAIN WORLD

春山茂雄
●田園都市厚生病院院長

はじめに

いま、私たち医師が行なっている医療で、実際に治る病気というのは全体の約二〇%ほどでしかなく、残り八〇%は医療費を湯水のように浪費しているだけといっても過言ではない状況です。このままでいくと医療費はまもなく二十五兆円を突破し、二〇一〇年には八十八兆円にもなるといわれています。なんというムダ遣いでしょうか。

医療とはいったい何なのでしょうか。

私は子供のころから東洋医学に接し、長じて西洋医学も学びました。いままで東洋医学と西洋医学はまったく別世界のもの、相反するものと思われてきましたが、脳生理学や分子生理学の発達のおかげで、東洋医学を現代医学によって解説できるようになりました。

たとえば東洋医学の治療で用いられてきた鍼（はり）麻酔も、実は脳から出る麻薬に似たモルヒネ様のホルモンによって説明がつくようになったのです。この「脳内モルヒネ」こそ、本書のテーマなのですが、それだけではなく気功とか瞑想などのメカニズムも、分子生理学によってホルモン物質のはたらきとの関連が解明され、それらが健康におよぼす効果が現代医学でも支持されはじめています。

東洋医学と西洋医学のこのような組み合わせによって、いままで病気にならないと患者と向きあわなかった医師も、病気になる前、いわば「未病」の段階で、病気にならないように健康と長寿を約束してあげられる。これが本当の医療ではないでしょうか。私は現在、病院を経営していますが、目指すところはこの「病気にしない医療」なのです。

病気を未然に防げれば医療費も激減します。病院で山ほど薬をもらうことも少なくなっていくでしょう。東洋医学では「病人が来たら医者は手をついて謝れ」といっています。健康な人間を病気にしたのは医師の責任だというわけです。医師がいばって患者を診るというまの医療はどこかおかしいのです。

また、西洋医学の発達とともに次々と新しい薬や治療法が発見されてきましたが、その結果、副作用による障害が大きな問題になってきています。

本来、人間はその体内にあらゆる疾患に対して防御機能をもっており、それが十分にはたらけば、ガンや心臓病、あるいは脳血管障害などはかなり少なくなるはずです。それが十分に生かされていないのは、ふだんのライフスタイルや食生活が間違っていることが多いからです。

つまり、食生活をチェックすると同時に、ホルモンや免疫系をコントロールすることによって、薬などの人工的なものにたよらずに、人間は健康でいられるのです。

私は本書の中で、これらの中枢機関としてはたらいている脳内モルヒネをうまく利用すれば、それが可能であるという根拠を述べています。脳から分泌されるある種のホルモンを私は便宜上、「脳内モルヒネ」という言葉を使って説明していますが、西洋医学の成果を駆使しながら、基本は東洋思想にもとづいて考え直すことで、健康や長寿、そして人生の幸福、さらに人類の存在目的にまで言及しています。これはいわば医療の見地からの思想革命を目指したものでもあるのです。

高齢化がますます進むストレスの多い社会にあって、本書が健康とよりよい生き方についてのヒントを与えることができれば幸いです。

なお、本書を書くにあたって私の人生観や生き方にご指導をたまわり、多大な影響を受けた船井総合研究所の船井幸雄会長に感謝するとともに、ご協力いただいたサンマーク出版・植木宣隆編集長、日本クリエート社社長・川北義則氏、並びに阿部律子さんにお礼を申し上げます。

また本文中で多くの文献や図書などを利用させていただきましたが、その主なものを感謝をこめて巻末に収載させていただきました。

一九九五年四月

著者

目次

脳内革命

第二章　筋肉をつければ病気にはならない

第三章　いつまでも脳を若く保つ食生活

第四章　脳が若ければ百二十五歳まで生きられる

装丁――倉田明典
本文デザイン――舟木　哲
編集協力――川北義則

プロローグ

東洋医学と西洋医学の接点で治療

病気にさせないのが本当の医学

　私が医者になった動機は一種の悔しさからでした。私の実家は京都ですが、代々東洋医学を業として、私自身もすでに四歳のときから、祖父について〈もみ〉の修業をさせられました。〈もみ〉というのは鍼灸指圧のことですが、そういう修業をずっとやらされて、身内の身贔屓もあったのかもしれませんが、八歳のときには免許皆伝ということで師範の資格をもらったわけです。

　それからずっと祖父のもとで、訪れる患者さんの治療の手伝いをさせられていました。そういうことがあって、私自身は東洋医学というものが、人間の体の不調を治すのに役に立つことを身にしみて感じていました。

　ところが、だんだん成長してきて西洋医学を知るようになると、こちらのほうはとてもわかりやすい。西洋医学は〝病気学〟ですから、この病気の原因は何々で、こういう治療をすれば、こういう経路を経て治るということがキッチリ説明できる。またレントゲンをとったり、検査をして数字で説明したり、東洋医学と違ってすごく説得力があるのです。

　東洋医学は、虚と実とか陰と陽とかといって、ちょっと古くさい。そのうえに哲学めいて一般にはわかりにくい。私の経験からいえばどちらが効くかといえば、成人病とか疲労性の肩こり、腰痛などは、東洋医学のほうが断然効き目があるのです。だが、その事実を科学的に説明することができない。それが悔しかったのです。

なんとか東洋医学の素晴らしさをキッチリ証明できないものか。そのためには東洋医学を西洋医学の言葉で説明できればいちばんよいのではないか。そう思って私は、東京大学で西洋医学の門をくぐったわけです。

西洋医学をひととおり学び終えた私は、東洋医学の効力にもいっそうの自信がもてたので、さっそく自分の考えにそった病院をつくろうと思いました。しかし先輩たちから「まだ早い、やめろ、やめろ」と強引にやめさせられてしまったのです。

私に開業医の経験がなく、病院経営のイロハについてもまったく無知だったことが大きなネックになりました。私自身ですら成功する自信があまりなかったのですから、他人が止めるのは当然のことです。

「しばらく修業して、医者として立派に認知されてからでもおそくない」という先輩の忠告にしたがって、私はいくつかの病院で消化器系の外科医としての修業を積み、ようやく自分の病院をつくることができたのが、いまから八年前のことでした。それが現在、中央林間にある田園都市厚生病院*なのです。現在、病床数は二百六十床、内科、外科、小児科などの総合病院です。

東洋医学に「未病」という言葉があります。病気の一歩手前のことをいい、そういう人間を「病気にさせない」のが東洋医学の目標なのですが、私の病院で取り組んでいるのがこれなのです。いまの病院では病気になった人でないと診療してくれません。肝心なのは病気にならないようにすることなのに、です。

たとえばこんな例がありました。結婚を間近に控えた二十八歳の男性の場合です。一〇三キロの肥満体で、婚約者から「そんなに太っちゃイヤ!」といわれ、ただたんにダイエットが目的で私の病院へ入院したいといってきたのです。

病気でもないのに入院するなど、ぜいたくといえばぜいたくな話ですが「病気にさせない」のが私の目的ですから、こういう要請も快く引き受けています。さっそく入院してもらい、四十日かけて約一五キロ減、八〇キロ台に落として退院となりました。

「やせた、やせた」と本人も婚約者も大喜びしてくれました。それはそれでいいのです。本人にもふせておいたのですが、実はこの男性は若いにもかかわらず、太り過ぎということでたいへん危険な病気ゾーンにあったのです。

肝機能がわるくコレステロール値も高い。中性脂肪も多すぎる。病名をつけたら肝炎、慢性膵炎（すいえん）、高コレステロール血症、高脂血症と立派な病名がいっぱいつく。それがダイエット入院の間に全部正常値に戻ったのです。

本人は自分がそんな危険な病気ゾーンにあったことも、それが改善されたことも知らずに、ただ喜んで退院していきました。私が理想とする医療の一つの姿がここにあります。「未病」の状態にあった人間を「病気にさせない」で帰してあげることができたからです。

脳からモルヒネを分泌させなさい

この男性に私の病院がした治療とはなんだったのでしょうか。結論をいえば、「食事」と「運動」と「瞑想」の三点セットなのです。食事は高タンパク・低カロリー、運動は筋肉をつけて脂肪を燃やす。瞑想は本格的なのは無理なので、プラス発想をしながら瞑想室に入ってもらい脳波を測定する。だいたいこんなところです。

あと東洋医学の指圧をアレンジしたメディカル・マッサージを適宜行ないました。こういう方法で成人病〝当確〟の人間を健康体に戻すことができるのです。不眠、幻聴、不幸感で精神病の一歩手前だった五十八歳の女性も、ほぼ同じ治療法で元気になりました。

肝機能障害のある四十六歳の女性の場合は、太ってもいないのに高脂血症で脂肪肝でした。筋肉が極端に少なく、脂肪ばかりのヤセデブでしたが、四週間の通院でこの女性の肝臓も総コレステロール値も正常に戻りました。

糖尿病と高血圧の六十三歳の男性は入院したときは意識もうろうの状態でした。最初は仕方なくインシュリンを使いましたが、すぐ飲み薬に代え、いまは両方とも使っていません。この人の治療法も他の人と同じ、先に挙げた三点セットです。

実はこれらの改善例に共通する秘密が一つあるのです。それが本書のテーマでもある「脳内モルヒネ」と呼ばれるホルモンなのです。人間の脳からはモルヒネに似たものが分泌されますが、これには人の気分をよくさせるだけでなく、老化を防止し自然治癒力を高める、すぐれた薬理効果があるのです。

私は脳内モルヒネと呼んでいますが、これをどんどん出させると、その効果は脳だけでなく体全体におよんですべてを好転させる。つまり私たちは、どんな薬もかなわない優秀な製薬工場を体内にもっているわけで、私はそれを徹底的に利用しているのです。

脳内モルヒネの存在は以前から知られていましたが、鎮痛効果以外さしたる意味もないと考えられ、長い間注目されないでいました。ところが最近研究が進んで、すごい効力を秘めていることがわかったのです。

人間は怒ったり強いストレスを感じると、脳からノルアドレナリンという物質が分泌されます。この物質はホルモンの一種なのですが、どういうわけかものすごい毒性をもっている。自然界にある毒物では蛇毒に次ぐ毒性をもつともいわれています。

もちろん脳内で分泌されるのはごく微量にすぎませんが、いつも怒ったり強いストレスを感じていると、この毒のせいで病気になり、老化も進んで早死にしてしまう。私の病院に来た患者さんもそうですが、どんな病気にもノルアドレナリンが関係しているといってよいほどなのです。

一方でβ（ベータ）―エンドルフィンというホルモンがあります。このホルモンは脳内モルヒネとしていちばん効力のある物質ですが、この両者の間に奇妙な相関関係のあることが判明したのです。人から何かいわれて「いやだな」と思うと、脳内に毒性のあるノルアドレナリンが分泌される。そのとき逆に「いいな」と思うとβ―エンドルフィンが出るのです。

ノルアドレナリンが分泌されるほうがいいか、β―エンドルフィンが分泌されたほうがいいかは、自明の理でしょう。

どんなにいやなことがあっても、事態を前向きに肯定的にとらえると、脳内には体によいホルモンが出る。どんなに恵まれていても、怒ったり憎んだり不愉快な気分でいると、体によくない物質が出てくる。すべてをプラス発想でとらえ、いつも前向きで生きていれば健康で若さを保て、病気に無縁な人生を送れるということです。

またこういうこともあります。何かつらいこと苦しいことに遭遇したとき、いやだと思っているとノルアドレナリンが出ていますが、じっと耐えてある段階を乗り越えると、脳内モルヒネが出てくるようになるのです。

タバコも「健康にわるいのだが」といやな気分で吸っているとだめですが、タバコ好きな人が仕事が終わったあとに一服して「ああ、うまい」と思うと、脳内モルヒネが分泌されます。

おいしいものを食べたりセックスをすると、私たちは快感を感じますが、スポーツでも勉強でも仕事でも快感を味わっています。また人のために役立つとか世の中をよくする行為でも、私たちは精神的な喜びを感じます。

どんなことも心のもち方一つで、体がよくもわるくもなるということが医学的に証明されたのです。

脳内モルヒネは成人病も防いでくれる

脳内モルヒネにはもっとすごいことがあります。たとえばβ—エンドルフィンには明らかに免疫力を高める効果があるのです。細菌による病気、ウィルスによる病気は、いくら気持ちだけでがんばってもどうしようもないと思うでしょうが、脳内モルヒネは免疫細胞を元気にするので、エイズのような病気にも抵抗力がつくと考えられるのです。

実際エイズという病気は、感染者に同じように接触しても、ある人は感染し、別の人は無事ということがあります。またキャリアになった人でも、バタバタさわいで医者にかけこんで中途半端な治療をすると、かえって発病が早まり、ついには死にいたりますが、覚悟を決めて瞑想や気功に夢中になったりしていると、何年たってもキャリアのままで発病しないことがある。これを脳内モルヒネによる免疫力向上の結果とみることもできるのです。

エイズという病気はだれでもかかる病気ではありませんが、血管や心臓系の疾患は成人病としてほとんどの人が罹患（りかん）する危険をもっています。このような病気にも、脳から出る脳内モルヒネは驚異的なプラス効果を発揮してくれるのです。

私たちはストレスの多い社会に住んでいますが、強いストレスを感じると前述したアドレナリン系の毒性ホルモンが分泌されます。これも適量分泌されているうちは役に立っていますが、過剰になると血管を収縮させます。

血管が収縮すると血圧が上がり、また血管の目詰まりを起こしやすくなる。脳の太い血管が目詰まりを起こすと脳梗塞(こうそく)、細かい血管が目詰まりを起こすとボケ状態になります。脳内モルヒネは血管の収縮を元に戻し、血液がサラサラと流れるようにする効力もあります。成人病の大半は血管の目詰まりが原因ですから、脳内モルヒネには成人病を防ぐ効力もあるわけです。

また最近話題になっている悪玉酸素に活性酸素があります。活性酸素には、私たちが吸った酸素が体内で変化したものと、自然界にそのまま存在するものとがありますが、体内に入ると老化物質をつくったり、遺伝子を傷つけたりして、あらゆる病気や老化の最大の原因といわれています。

ただ活性酸素は、走ったりなどして体がエネルギーを使って何かをするとき、どうしても出てくるものですから、体には酸素毒を中和する機能があらかじめ備わっています。それがSOD(スーパーオキシド・ジスムターゼ)酵素と呼ばれるもので、これは体の中で合成されます。

活性酸素が発生しても、それに見あうＳＯＤがつくれれば問題はありませんが、脳の発育が止まった段階でＳＯＤをつくる能力は衰えはじめます。そして活性酸素の害がしだいに大きくなって老化や成人病へとつながっていくのです。

またノルアドレナリンなどのアドレナリン系ホルモンが分泌されるときも活性酸素の発生が促されるので、できるだけこういう物質が分泌しないようにすることが、脳を若く保つうえできわめて重要なことになってきます。

最近の研究によると、脳細胞が若ければ活性酸素の害は少なくてすむことが確認されています。脳内モルヒネは脳細胞の若さを保つので、いつもこれが脳から出ているような生き方、つまりプラス発想をしていれば、老化と病気の最大の敵をやっつけることもできるのです。

さらにいえば記憶力の向上も、人間関係を平和に保つにも、またやる気や忍耐力、創造力を発揮するのも脳内モルヒネが関係している。人が生きるすべての営みをよいほうへもっていくか、わるくしてしまうかは、その人が脳内モルヒネをどれだけ出すかにかかっているといっても過言ではありません。

そこで本書ではこの脳内モルヒネにどんな力があり、それをいかにしたら出せるかということを、私自身の体験をふまえて紹介することにしました。

自然界には麻薬のモルヒネがあります。このモルヒネは中毒の危険がありますが、脳内モルヒネにはその心配はまったくありません。

しかもその効力は麻薬のモルヒネの五、六倍もあるのです。一部の人たちが法を犯し、廃人になる危険を知りながらも麻薬のモルヒネに走るのは、それが気持ちがいいからです。でもそんな危ない橋を渡らなくても、神様は私たちに脳内モルヒネを与えてくださっている。これは神様からの次のようなメッセージだと思うのです。

「人生を愉快に生きなさい。愉快に生きればいつも若々しく健康で、病気にも無縁で長生きできますよ」――と。脳内モルヒネの存在は神様が正しく生きる人間にくれたごほうびともいえます。

以下の章で、そのごほうびがどのようなものかを具体的に説明していきたいと思います。

＊田園都市厚生病院　〒242神奈川県大和市中央林間2―6―17
TEL0462（76）1110　FAX0462（74）0076

第一章

医学が証明するプラス発想の効果

マイナス発想はなぜ病気になるのか

最近、プラス発想とか肯定的思考ということが盛んにいわれるようになりました。「物事はよいほうへ考えるとストレスがたまらない」「なんでも前向きに取り組んだほうが結果はよい」というほどの意味に世間一般では理解されているようです。

同じことが医学の世界でもいわれはじめました。心と体はいつも対話をしている。そして「心で考えること」は、抽象的な観念などではなく、きちんと物質化されて「体に作用する」ことがわかってきたのです。

人から何かいわれて「いやだな」と思うと、老化を早めたり発ガンを促進する物質が体内に発生する。反対に「ありがたいな」と思うと、若さを保ち体を健康にする物質がつくられる。医学的にも私たちの体にはこういうメカニズムがはたらいているのです。

したがって、なんでもプラス発想するクセをもっている人は病気に強い。めったなことでは病気になりません。ところがマイナス発想ばかりしていると、情けないくらい簡単に病気になってしまう。同じような境遇、ライフスタイルでありながら、ピンピン健康な人と病弱な人が出てくるのは、すべてがそうだとはいいませんが、この「心のもち方」の差がひじょうに大きな意味をもっているのです。

では心のもち方によって体内に生じる物質とは何か。それは一般にホルモンといわれているもので、このうち心のもち方に関係する主なホルモンとして、アドレナリン、ノルアドレナリン、エンケファリン、β―エンドルフィンなどが挙げられます。

人間は怒ったり緊張すると、脳内にノルアドレナリンが分泌されます。恐怖を感じたときはアドレナリンです。ホルモンとは細胞間の情報伝達物質のことで、いわば脳の指令を細胞に伝えるものですから、怒りの情報が伝達されると、体はシャキっとして活動的になる。その意味では生きていくのに欠かせない物質なのですが、どういうわけかものすごい毒性もあるのです。

つまり、いつも怒ったり強いストレスを感じていると、ノルアドレナリンの毒のせいで病気になり、老化も進み、早死にしてしまうのです。一方、いつもニコニコして物事をよいほうへ、よいほうへととらえていると、脳内には脳細胞を活性化し体を元気づけるよいはたらきのホルモンが出てきます。

これらのホルモンは若さを保ち、ガン細胞をやっつけ、人を楽しい気分にさせてくれます。人生を楽しく健康に過ごし、ガンにも成人病にもかからずに長生きしようと思うなら、このようによいホルモンが出るような生き方をすればよいのです。

人を楽しくするこのホルモンが、私のいう脳内モルヒネです。物質の構造式が麻薬のモルヒネによく似ているからそう名づけたのですが、麻薬のモルヒネは依存性や副作用の危険がありますが、脳内モルヒネのほうは、その心配がまったくありません。

人間に快感をもたらすホルモンは約二十種ほど知られていますが、作用の仕方、強弱の差はあってもその薬理作用はほぼ同じなので、本書ではこのような快感ホルモンを総称して「脳内モルヒネ」と呼ぶことにします。

数ある脳内モルヒネの中で、最強の快楽ホルモン物質はβ―エンドルフィンで、その効力は麻薬のモルヒネの五、六倍は楽にあります。これだけの快感物質が私たちの脳内でつくられることは何を意味しているのでしょうか。

神様が私たち人間に「楽しみなさい」といっているのだと思います。

人間はけっこうわるいことも考えるし、実際にそれをやってしまいます。

たとえば「人をおしのけてでも自分が得をしよう」と考える人がいます。そうやって大金を儲けたとします。あるいは地位や名誉を得たとします。そのような願望が実現すればその人はうれしい。うれしければ脳内モルヒネは分泌します。

しかしなぜだかそのような楽しみは長続きしないのです。必ずどこかでおかしくなる。世のため人のためにならないこと、人からうらみをかうようなことをすると、どういうわけか脳がその人を滅びの方向へと誘導してしまうようなのです。

これはたぶん、神様が理想とする生き方にあった者だけが生き残れ、それにあわない者はできるだけ消していこうとするメカニズムが、遺伝子というかたちで体の中に残されているのだと私は解釈しています。脳には先祖の記憶までインプットされていますから、そういうことがあってもおかしくないと思うのです。

ビジネス戦士が早死にするのはなぜか

世の中をよくするために人類はいろいろな宗教や哲学思想をつくり出しましたが、自然も含めて地球上のあらゆる生命体と「共生しよう」という考え方を唱える人がだんだん増えてきました。これからの世の中のあり方を考えるとき、これはなかなか斬新で魅力的なアイデアだと思います。

私が尊敬する経営コンサルタント、船井総研会長の船井幸雄さんやＥＭの発見者である琉球大学の比嘉照夫教授などが、この言葉をよく使われています。私もこの考え方には全面的に賛意を表したいと思います。

私は医者ですから、医療を通じて新しい世の中のために何か役立つことをしたいと念願しているのですが、それは私自身のためでもあるのです。世のため人のためにならないことをすると、脳は必ず滅びのほうへと個体を誘導するようです。

船井さんは「宇宙には創造主の意志がはたらいている」といっておられますが、それは遺伝子に刻み込まれているのではないか。それにあったものだけが生き残れ、あわないものは滅ぼしてしまおうというメカニズムがきっと体の中にあるのです。

実際、私たちが意欲的に仕事をしていると、脳がひじょうに活性化してドーパミンというホルモンがふんだんに出てきます。ドーパミンというのは人間に意欲を起こさせるホルモンですが、出過ぎるとエネルギーを使い過ぎて早死にしてしまうのです。

死ななくても精神分裂症とか癲癇(てんかん)のような症状を起こす。出なければ出ないでパーキンソン病や痴呆になってしまいますが、出過ぎるのも問題です。過去に天才といわれる人物が早死にしたり脳の病気が多いのは、ドーパミン過剰と関係が深いと考えられます。

バリバリ仕事をするビジネス戦士や業績をグングン伸ばす実業家にも、ドーパミン過剰の人がよくいます。事業で成功するには競争に勝たねばならないわけで、そのため闘争心をむき出しにしなければならない。しかしそうやって成功しても、このとき脳内モルヒネがうまく活用できないと、長生きはなかなかできません。

田中角栄さんとか小佐野賢治さんが、バリバリ働いて政治や事業であれだけの成功をおさめ、また有能な人物であったにもかかわらず、早く亡くなったのは、脳のはたらきからみれば脳内モルヒネの活用がうまくできなかったからともいえるのです。両氏の場合、闘争ホルモンの過剰分泌が命を縮めたといってよいでしょう。

しかし人にすぐれて大きな仕事をするには、それに見あうエネルギーが必要になります。エネルギーに乏しくては大きな仕事はできない。だがそのためにエネルギーの出力を上げれば病気か早死にが待っている。これは二律背反のようですが、実はすごいバイパスがあるのです。

それが脳内モルヒネの利用なのです。ドーパミンをどんどん出しますと、エネルギー消耗でバテてしまうが、そういうときに脳内モルヒネが分泌すると、少しのドーパミンで十倍も二十倍もドーパミンが出たのと同じようなはたらきをしてくれます。つまり脳内モルヒネにはテコの原理に似たエネルギー増幅効果があるのです。

いくら意欲があってもドーパミンの出し過ぎは副作用があります。ドーパミンとかノルアドレナリンは必ず活性酸素を大量に出す。脳内モルヒネの場合はそれがないので、少量のドーパミンを脳内モルヒネで増幅して使うのが理想的な脳の活用方法といえます。

昔から偉いお坊さんは高いレベルで世の中を見とおし、人を感化する力をもっていました。そしていつの時代にあっても相当な長生きをしています。彼らの生き方、考え方を調べてみると、脳内モルヒネ系を駆使したとしか思えないことがたくさんあります。

また、悟りを開いたような人が一般的にいって長生きなのはなぜでしょうか。それは病気に強かったということですが、これも脳内モルヒネのおかげなのです。こういう人なら、たとえエイズウイルスをもらっても、ふつうの人のようには発病しないでしょう。免疫力が高く自然治癒力も強力なはずだからです。

ガンも発病させるストレスは諸悪の根源

仕事で緊張するとどうしてもストレスがたまります。これがまた病気の原因にもなります。ガンの場合もそうです。ネズミを使った有名な発ガン実験があるのですが、そのデータを見ると、ストレスの強弱によってガンの発病率が大きく違ってくることがはっきりわかるのです。発ガン物質によってガンになる確率が一〇％のとき、発ガン物質に加えてある種のストレスが強く加わると、発ガン率が五〇％にはね上がってしまうのです。

悟りを開いた人は、ふつうの人がストレスに感じるようなことでも動じないで、脳内モルヒネを分泌させることができる。脳内モルヒネによってガンにかかる確率は極端に低められるのです。ガンにかかりにくいということは他の病気にもかかりにくいのです。

また成人病は代謝障害といってよく、これはごく簡単にいえば血液がサラサラと流れなくなるために起きる。ところが脳内モルヒネには血液をサラサラと流す力があるのです。

血液が流れにくくなる原因には大きく分けて二つあります。一つはストレス。ストレスを感じてノルアドレナリンが分泌されると、血管が収縮して血流を止める。この物理的変化がマイナスになるだけでなく、そのあと活性酸素を大量に発生し、遺伝子を傷つけたり、過酸化脂質という老化物質を生成したりして、成人病リスクを高めることになります。

血液障害のもう一つの原因はコレステロールや中性脂肪などによる血管の目詰まりです。ただ、広い目で見ればこういう物理的な血管の目詰まりも、ストレスに起因するところが多いので、成人病系統のほとんどすべての病気はストレスからといってよい。この点でも昔の高僧といわれる人たちの悟りの境地は、病気を遠ざけるのに大いに力があったと思われます。

私たちは多かれ少なかれ緊張を強いられることがよくありますが、強いストレス状態になるとだれでもアドレナリン系のホルモンが分泌されます。適量分泌されているうちはこれも役立っていますが、限度を超えると害のほうが大きくなる。血圧が上がることもその一つといえます。

人間が死にかかったようなとき、医者が心臓の中にノルアドレナリンを入れると、測定できないほど低くなった血圧がドーンと上昇します。緊急事態にはこういう性質が利用できますが、ふだんから血圧を上げていたら健康によいわけがありません。

血圧が上がると血流がわるくなります。脳が健康で生きるためには、サラサラした血液に乗って、酸素やエネルギー物質が各細胞に届けられる必要があります。血流がわるくなるということは、それらが滞ることですから、血管収縮や血管の目詰まりで血圧が高くなるほど体はだめになっていきます。

たとえば酸素がこないと、血液成分の一つの血小板がこわれてしまいます。こわれると血餅（けっぺい）といってカサブタみたいなものになる。このカサブタが血管の目詰まりをひどくしてしまうのです。

脳だけをみても血管の過収縮は好ましくないことなのです。この好ましくないことの第一原因がノルアドレナリンというホルモンにあり、このホルモンの分泌が心のもち方や感情によって左右されているのですから、プラス発想ということがいかに大切かおわかりになるはずです。

会社で上司から叱られてムカムカする。仕事に失敗して意気消沈する。奥さんとケンカしてカーッとなる。子供の成績表に愕然とする。これらはみんな強いストレスですが、これらのすべてをマイナス発想で受け止めているかぎり、ノルアドレナリンはどんどん出てきます。

一日のうち目覚めているのは十五、六時間ですが、その間中、こういうものを出し続けていたらどうなるか。血圧はどんどん上昇していき、血管の目詰まりも進むことになります。しかもそれは脳だけでなく、各臓器の中でも起きますから、成人病の原因になり老化を早めてしまうことになるのです。

そういうときにはどうしたらいいのか。脳をうまく使うしかありません。何事も一回経験した記憶は全部脳に蓄えられていて、同じ経験をすると同じような過去の記憶を引っ張り出してきて同じ対応をしようとします。

たとえばビジネスマンが「社長が呼んでいます」といわれると、以前に叱られていたら「また叱られる」と思うのです。そういうときは、なかなか逆に「ほめられる」とは思えない。そのため現実にはまだ何も起きていないのに、頭の中のわるい想像だけで心臓がドキドキして、脳内にはノルアドレナリンがドッと出てきてしまうのです。

そういうときはつとめて逆発想をするほかありません。とりあえず「今度はほめられる」と考えてみるのです。その瞬間、快感ホルモンが出て不快な考えを中和してくれるので、血管の収縮が元に戻って血液がサラサラと流れはじめます。

実際に社長室に行ってまた叱られたとしても、社長が叱ってくれるのは自分のためを思ってくれるからだ、ありがたいことだと、プラス発想で感謝すればいいのです。ハシにも棒にもかからないような人間は無視されることはあっても叱ってくれることはないからです。ともかく、人間はどう考えるかによって脳内モルヒネが出たり出なかったりするということをしっかり頭に入れてください。このように単純な例からもわかることは、過去の知覚や記憶によって、与えられた刺激に対する反応の仕方が違ってくるということです。

たとえば通りを歩いている犬を見たとき、もし自分が犬を飼っていたり、犬が大好きならば近寄って犬に話しかけたくなるでしょう。この場合は脳内モルヒネが優位となりますが、逆に、もし過去に犬にかまれたことがあったら、極度の警戒心を覚え、交感神経が最高に活性化し、下垂体は免疫系に影響をおよぼすストレスホルモンを放出します。心拍が速くなり、瞳孔が広がり、もっと多くの空気を取り込むために気管支が拡大し、血液が筋肉に流れ、攻撃や逃避反応に備えて、アドレナリン系のホルモンが大量に血流に投入されます。

このように犬を見たという刺激は同じでも、犬に対するその人の過去の記憶や経験が異なると、神経伝達物質はまったく異なったものが分泌され、反応は正反対のものとなります。しかしその場合でもたんに過去の記憶にまかせるのではなく、意識的に犬はおとなしくてけっして人をかんだりしないと、脳に何回も教えこませるとこのような反応はなくなります。

だからこそいま起こっていることの事実より、それをどうとらえるかが重要となってくるのです。この世の中で起こる現象や刺激が重要なのではなく、たとえいやな現象でも、それを意識的にプラス発想でとらえるようにすれば、心と体の反応は好ましい反応に変えられるということです。

活性酸素の害をどうやって防ぐか

　人間はだれでも健康で長生きしたいと思っています。またいろいろな欲望を抱えて、それを満たしたいとも思っています。ところが健康、長寿の願望と欲望の満足は相反するのがふつうです。

　アルコールが好きな人が、気分よく適量飲めば脳内モルヒネが出ますが、いつも適量とばかりはいかない。飲み過ぎれば体にわるいのはいうまでもありません。

　タバコもそうです。タバコの場合はいま世界的に禁煙の方向へと進んでいますが、タバコ好きな人がホッとしたとき一服すると、β—エンドルフィンが分泌される。β—エンドルフィンはただ気持ちがよいだけでなく、老化を防ぎ、ガン細胞をやっつけてくれるので、タバコもあながち害ばかりとはいいきれないのです。

　だからといって、タバコ好きが一日に何十本も吸っていて体にいいというわけにはいきません。次ページの〈図表1〉を見ればおわかりのように、若いときから喫煙している人は死亡率が非喫煙者の約二倍にもなっているのです。

　セックスもそうです。セックスの快感が脳をよくするといった説をときたま見かけます

図表1　喫煙開始年齢からみた死亡率

(非喫煙者を1とすると)

	1日の喫煙本数				平均
	1〜9本	10〜20	21〜39	40〜	
15歳以前	1.79倍	2.23	2.21	2.15	2.17
15〜19歳	1.75	1.83	2.01	2.83	1.99
20〜24歳	1.25	1.52	1.62	1.93	1.58
25歳以後	1.03	1.36	1.45	1.56	1.34

(E.C.ハモンド)

が、これもあながち俗説とはいえないのです。いい気持ちになるのは脳内モルヒネの作用ですから、若さや健康にはプラスにはたらくことは明らかなのです。

ただこの場合も副作用が問題です。セックスを運動量でみると、ご老人が腹上死するほどですから、かなり激しい運動の部類に入ります。激しい運動をすると活性酸素が大量に発生する。これが体にとってはいちばんよくないことなのです。したがって年をとってからの過度のセックスはつつしむべきものなのです。

活性酸素というのは、私たちがふつう呼吸で吸っている酸素が分子レベルで活性化したもので、あらゆる病気や老化の最大の敵といってよいものです。この活性酸素はどういうときにいちばん出るのでしょうか。

一つは血流が悪くなったとき、ひじょうに大量の活性酸素が出ます。正確にいうと、いったん血液の流れがわるくなったあとで、再灌流（さいかんりゅう）といってふたたび正常にサラサラと流れ出すとき、ドッと活性酸素が出ます。そのとき活性酸素によって血管の内皮が傷ついたり、組織が傷ついたり、遺伝子が傷ついたりするのです。

したがって人間の体というのは、いつもコンスタントに血流量を保たないといけないわけで、内皮が傷つけば炎症を起こし、遺伝子が傷つけば発ガンへと進む。また脂肪と活性酸素が結びついて体を老化させることにもなります。

しかし活性酸素は体にとって役に立つこともあります。体に侵入した菌をやっつける武器に使われるからです。つまり人間のもつ免疫システムの一部でもあるわけです。ただ過剰にあっては困るので、体はＳＯＤ（スーパーオキシド・ジスムターゼ）という解毒酵素をつくって酸素毒を中和しているのです。

だから体の機能が万全なら活性酸素の害はそんなにこうむりません。また二十五歳くらいまでの成長期は、ＳＯＤがどんどんできるのであまり心配しなくてよいのです。しかし中年期以後はＳＯＤをつくる力が衰えてくるので、活性酸素の害がしだいに大きくなって、老化や成人病へとつながっていきます。

またノルアドレナリンやアドレナリンが分泌されるときも活性酸素の発生が促されるので、マイナス発想はやめて、こういうホルモンの分泌はなるべく少なくすることが脳を若く保つうえで大切です。

最近の研究では脳細胞が若ければ、活性酸素の害は最小限度ですむことがわかってきました。いつも前向きに物事を受け止め、ムチャをしなければ活性酸素の害はほとんど防げるといえます。

酒やタバコに罪の意識をもつな

ガラガラにすいた高速道路を走っていると、暴走族ではなくてもついスピードを出したくなります。先行車も見えないし後続車もない。「これならよかろう」とグッとアクセルを踏み込むと、とたんに覆面パトカーが追いかけてくる。こういう経験をした人も少なくないでしょう。

いけないとわかっていてなぜスピードを出すのか。スピードを出すと気持ちがいいからです。グンとアクセルを踏み込んで車のスピードが増すと、脳内にはβ―エンドルフィンが分泌されるのです。これはほんの一例ですが、脳というものを上手に活用しようと思うなら、「人間というのはひたすら快感を求めて生きている」という事実をまずしっかり頭に入れておく必要があります。

タバコが体にわるいことはだれでも知っています。でも愛煙家はそれでもやめられない。愛煙家にとって喫煙は快感をともなうことなのです。お酒が大好きな人になると、直接お酒を口にしなくても、日が暮れてから町で焼鳥屋の赤提灯を見ただけで、もう脳内モルヒネが分泌する。こういう習慣がついてしまったら、ちょっとやそっとのことではお酒はやめられません。

私は肝臓も専門の一つなので、いわゆるアル中患者とは、ずいぶんつきあってきました。しかし、彼らにいくら口をすっぱくして、アルコールの害を説いても、ほとんど効果がないのです。「そんな飲み方をしていたら君は死ぬぞ」というと「好きな酒を飲むのだから、死んでも本望」というのですから始末に負えません。

おいしいものを食べ過ぎれば肥満するし、成人病になる確率は飛躍的に高まる。それでもおいしいものをたらふく食べているグルメが世の中にはたくさんいます。他のことも含めて「わるい」とわかっていながらやめられないことは、ほとんどすべて脳内モルヒネが関係しているといって過言ではありません。

進化した人間にも動物と変わらない本能行動が多く見られます。われわれ人間をつき動かしているもっとも基本的な欲求は何か。心理学者のA・H・マズロー博士がそれを「ファイブF」という言葉でうまく表現しているので、それをここに挙げてみます。

「ファイブF」とはFの綴りではじまる五つの言葉のことで、ファッキング（性欲）、フィーディング（食欲）、フロッキング（群れる）、ファイティング（攻撃・征服）、フリーイング（逃走）の五つの欲求を本能行動としているのです。

本能行動というのは、一般には意志ではどうにもならない原始的な衝動と見なされていますが、最近わかったのはそのいずれもが脳内モルヒネが分泌されて気持ちがよくなる行為だということなのです。

食べること、性行為が快感をもたらすことにはだれも異存がないはずです。群れることも、これは一部の動物にも見られる現象で、やはり快感をもよおすことなのです。

それからファイティングというのは攻撃とか相手を征服して従えることですが、これが快感につながることは、人類史が闘争の歴史であったことを思い起こせば容易に理解できるはずです。あれだけ飽きずに戦争を繰り返してきたのも、勝利という結果も含めて根源的にそれが快感をもたらす行為だったからです。

最後の逃走、フリーイングは「逃げるのがなぜ快感なのか」と疑問に思われるかもしれませんが、そのときは必ず脳が喜んで脳内モルヒネが出るのです。

以上がマズロー博士がいう「ファイブF」ですが、私たちは原脳（原始的な脳）レベルでこういう本能的な欲求を必ずもっている。これを否定してしまったら生きていくことができなくなってしまうのです。

だから私は、この「ファイブF」を否定しようとは思いません。タバコが大好きな人は吸えばいいのです。お酒が好きな人はお飲みになってけっこう。もちろん両方とも限度を超えるのはまずいですが、好きなものをむりやりやめる必要はありません。ただ限度に加えてもう一つ絶対に守ってほしいのは、そのことで罪の意識を感じないようにすることです。これがいちばん大切な点です。

タバコは中に含まれる成分も有毒ですが、それよりも活性酸素を発生させることが最大の問題です。活性酸素というのはあらゆる病気と老化の最大の難敵です。タバコを吸えば体内にそれが発生するのですから、体によくないことを否定するわけにはいきません。

しかし愛煙家がひと仕事終えたあとや食後につける一服は、脳内モルヒネが分泌するためのよい材料なのです。酒にいたっては飲み方さえ間違えなければ、文字どおり「百薬の長」になってくれる。ところがそのたびに後ろめたさを感じて、罪の意識をもつ場合はこういったプラス効果がなくなって、マイナスばかりが表に出てきてしまいます。

適量に楽しくタバコを吸い、楽しく酒を飲めば脳内モルヒネが出るところを、「ああ、また吸ってしまった。肺ガンになるのではないか」とか「また飲んでしまった。アル中になるのではないか」「肝臓は大丈夫だろうか」などと陰気に考えていると、端的にいえば「あなたは病気になりなさい」というホルモンが出てくるのです。

恋愛関係でも「フラれるんじゃないか」とマイナス発想でつきあっていると、おうおうにしてそういう結論になるのは、失恋ホルモンが分泌されるからです。不安、心配、罪の意識をもちながらそれをするというのは、脳の上手な活用法とはいえません。

マズロー博士の五段階説と脳のはたらき

マズロー博士のいう「ファイブF」を否定してはいけないと思うのは、この五つがなけ

図表2　脳の構造

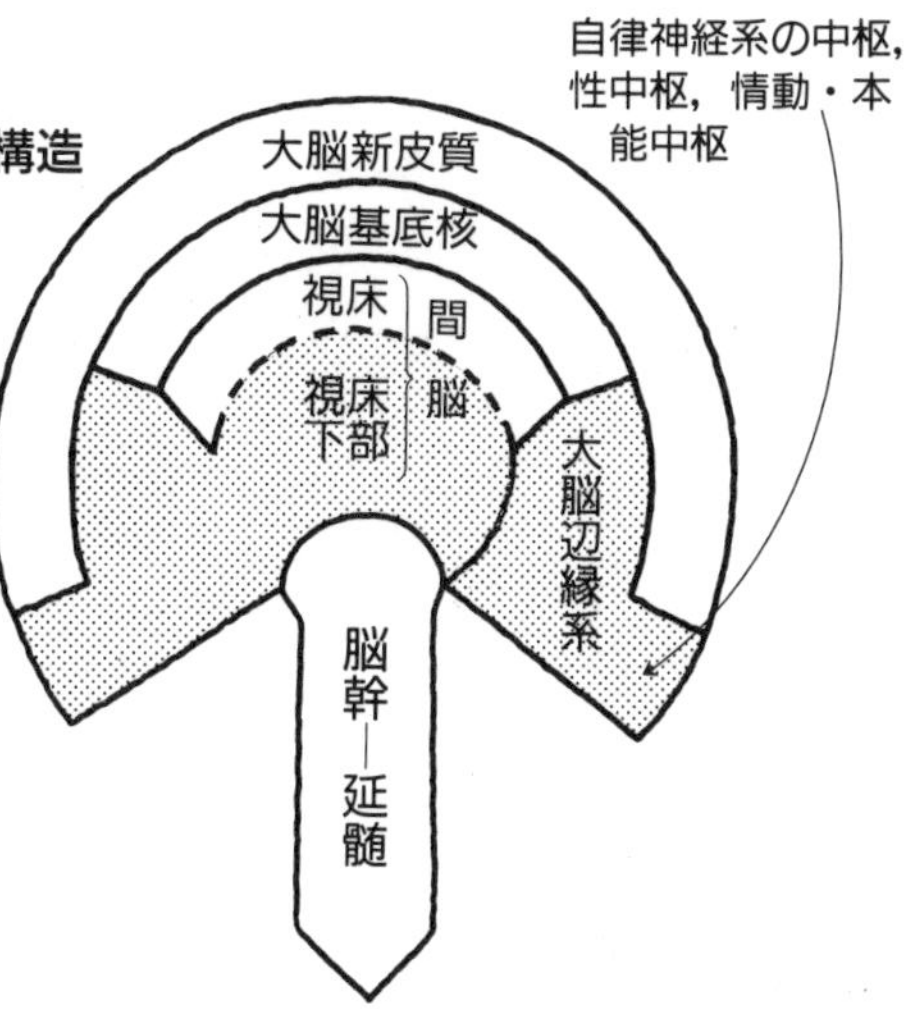

れば私たちは生きていけないからです。「ファイブF」に関係することは脳のはたらきが大きな部分を占めている点からもそれはいえると思います。

ここでちょっと人間の脳について簡単な注釈を加えておきますと、人間の脳というのは三重構造になっています〈図表2〉。一つは「ファイブF」をつかさどる動物がもつのと同じ脳、これを原脳といいます。

図に示したものでいえば脳幹―延髄から視床下部、視床がそれにあたります。この原脳を包むように犬猫などがもつ動物脳（大脳辺縁系）というのがあります。そして脳のいちばん外側にあるのが大脳新皮質です。

よく万物の霊長と人間が自慢するのは、大

脳新皮質が発達しているからですが、脳の活用を考えるときは、この脳だけを過大評価すると失敗します。いくら大脳新皮質だけをはたらかせても、それだけではたいしたことはできず、人生の楽しみもうすいからです。

脳のはたらきというとき、人間に特有の大脳新皮質にばかり目がいきがちですが、「考える葦」としての人間の高尚な思考は、脳全体のはたらきからいえばせいぜい五%で、あとの九五%は「何を食べるか」「どうやってあの子を口説き落とすか」「いかに勝ち残るか」といった俗に本能と呼ばれる欲求の充足を中心に考えているのが、人間の本来の姿なのです。

爬虫類というのは原脳だけで生きています。獲物とみれば襲いかかる。メスと思えば生殖行動を起こす。ほとんど条件反射の世界ですが、人間も同じ脳をもっているのです。犬猫になると少し上等になって、大脳辺縁系という動物脳を使うようになります。

もちろんこの脳は人間にもあります。しかし犬猫の世界を見ていただければわかるように、飼い主になつくとか自分の住みかに帰ってくるとか、名前を呼ばれると反応を示すくらいのことはしますが、人間と動物では天地の開きがあります。人間が人間らしくいられるのは、たしかに大脳新皮質のおかげです。でも脳のはたらきや欲求を考えるときは、爬虫類の脳も犬猫の脳も勘定に入れておかなければ本質を見誤ることになります。

では人間はいったいどんな欲求をもっているのでしょうか。快感を求めて生きるかぎりは他の動物と本当に大差のない存在なのか。それとも爬虫類的な欲求は人間として恥ずべきことなのか。人間のもつ基本的な欲求については、前述のマズロー博士の「欲求段階説」がたいへんにわかりやすいので、以下にこれを頼りに人間の欲求についてみてみます。

マズロー博士によれば、人間の欲求は全部で五つに大別されます。つまり、

①生理的欲求
②安全の欲求
③所属と愛の欲求
④承認の欲求
⑤自己実現の欲求

の五つです。しかもその欲求はちょうど階段を一段一段登るように、低次元から高次元へと段階的に登っていきます。いちばん最初にくるのは「生理的欲求」と呼ばれるものです。

性欲、食欲、睡眠欲などのことで、ふつう本能や欲望といわれているものです。生命を

支えるために絶対に満たされなければならないもので、この欲求の出所は爬虫類脳と考えられます。

この欲求が満たされると、次に現われるのが「安全の欲求」です。空腹のときは恥も外聞もなく食物を求め、そのために危険をおかしても平気ですが、それが満たされると今度は自分の安全ということを考えるようになります。

第一、第二の欲求が満たされると、その次に出てくるのは「所属と愛の欲求」です。これは自分をなんらかのかたちで社会の一員として存在させたいという欲求です。社会帰属の欲求といってもよい。対象を必要とする愛する行為もこの中に含まれます。

空腹も満たされ、安全も保証され、社会の一員として集団に属することもできた。しかし、人間はここまでの段階ではけっして満足しないとマズロー博士はいいます。次に第四の欲求として「承認の欲求」が出てきます。

これは一般に自尊心と他者からの承認の欲求といわれるものです。自分が人よりもすぐれていることへの自信、能力への確信、達成の実績、自立の確認、こういったものによって自尊心を満足させたいという欲求と、そういったことを他者からも認めてもらいたいという欲求です。

他者から認められた証として、表彰、名声、地位、評判などがこの欲求の具体的な内容になってきます。人間はただ社会的集団に帰属するだけでは満足しない。帰属すればしたで必ず自分が他人から承認されることを望むというのです。

ここまでくれば、まあかなり上等な人間ですが、それでも人間はまだ満足しない。そこで最後にくる第五の欲求が「自己実現の欲求」といわれるものです。第四の欲求まで達した人間は次に「なれる可能性のある最高の存在になりたいという願望をもつ」（マズロー博士）。これが「自己実現の欲求」ということです。

これは神の世界にも通じる心境といえます。孔子のいうところの「七十にして心の欲するところに従い、矩（のり）を踰（こ）えず」の世界でしょう。すなわち、他人と自分との間に境がなく、心の命ずるままに行動して、気がついてみたら、世のため人のための行ないになっている。そのような理想郷の世界ではないでしょうか。

「自己実現の欲求」までの五つの欲求が、人間のもつ基本的欲求であるとマズローはいうのですが、この説が「欲求段階説」と呼ばれるのは、これらの欲求が第一をクリアして第二へ、第二をクリアして第三へと、必ず前の欲求があるていど満たされたあとに次の欲求が生じるとマズロー博士がいっているからです。自分はいまどの段階かを考えてみるのも一興でしょう。

このマズローの説は二十数年前に唱えられ、広く知られた欲求説ですが、あえて私がそれをもち出したのは、最近明らかになった脳のはたらきとこの欲求説は見事に一致することがわかったからです。

マズロー博士がこの説を考えたときは、まだ脳のはたらきは詳しくわからなかったのですが、今日わかったことからいえば、この説は人間の基本的な欲求を脳生理の側面から理解するうえでまことに当を得ているといえます。

欲求レベルが高いほど快感も増す

もっとも現実の人間にあてはめたとき、みんながみんな第五の欲求まで到達するわけではありません。「自己実現の欲求」まで到達する人はむしろ少ない。第三の「所属と愛の欲求」まではほとんどの人が到達しますが、そこにとどまってしまう人、あるいは第四の「承認の欲求」止まりの人がほとんどといってよいでしょう。

ところが脳のはたらき、とくに脳内モルヒネが教えてくれるのは何かといえば、人間は第五の欲求、すなわち「自己実現の欲求までチャレンジしなさい」ということなのです。

このことはこれから本書をお読みになって、脳を上手に活用しようと思っている人にとって一つのポイントになる点です。自己実現の欲求などというと、なんだか悟りの境地のようにも思われて、「かなりしんどい」「自分はそんなに偉い存在にならなくてけっこう」と恐れをなす人もいるでしょうが、そんなことはありません。

脳内モルヒネが教えてくれるのは、自己実現を目指して生きることが、人間にとって最高の喜びであり、汲めども尽きない至福の人生を手に入れるカギなのです。いままで多くの人が誤解していたのは、欲求というものを並列的にとらえてきたためではないかと思うのです。

人間には食欲がある。性欲がある。権力欲がある。名誉欲がある。人のために尽くしたいとか、自分自身を正しく成長させたいとの崇高な欲求もあるけれど、どう考えてもレベルの低い欲求がたくさんあるわけです。

低いレベルで満足する自分というものを、高い欲求レベルに引き上げるのは、もちろん好ましいことだが、満足度や充実感、つまり快感というものはどちらかというと、低いレベルのほうが強い。だからそれを乗り越えるのは至難のわざである。それどころか気を許すと人間はとめどもなく低次元へと下がっていってしまう。こういう考え方が一般的だったように思われます。

しかし脳内モルヒネの研究からだんだん明らかになってきたのは、こういう一般的な理解は正しくなかったということなのです。

人間は並列的に並んだいくつかの欲求を選択するのではない。マズローが唱えたように、段階的に欲求レベルを高めていっていることが一つ、そしてもう一つ、ここが肝心なのですが、「欲求レベルが高くなるほど脳内モルヒネの快感も増していく」ことです。

そういうレベルの高い境地に達すると、めったに病気にもならず、至福の感情をもったまま長寿が保てる。つまり脳内モルヒネの研究でわかったのは、正しく立派な生き方、世の中のためになる生き方をするほど、人間は若々しく健康で病気に無縁でいられるということなのです。

このことを物質で説明するとこうなります。人間にはホメオスターシスというメカニズムがあります。一般に「恒常性」といわれている調整システムのことです。たとえば寒いと毛穴が縮んで体熱の発散を防ぐ。暑ければ毛穴が開き発汗して体温上昇を防ぐ。体の中にはいたるところにホメオスターシスのメカニズムが張りめぐらされているのです。

図表3　大脳新皮質の三つの機能

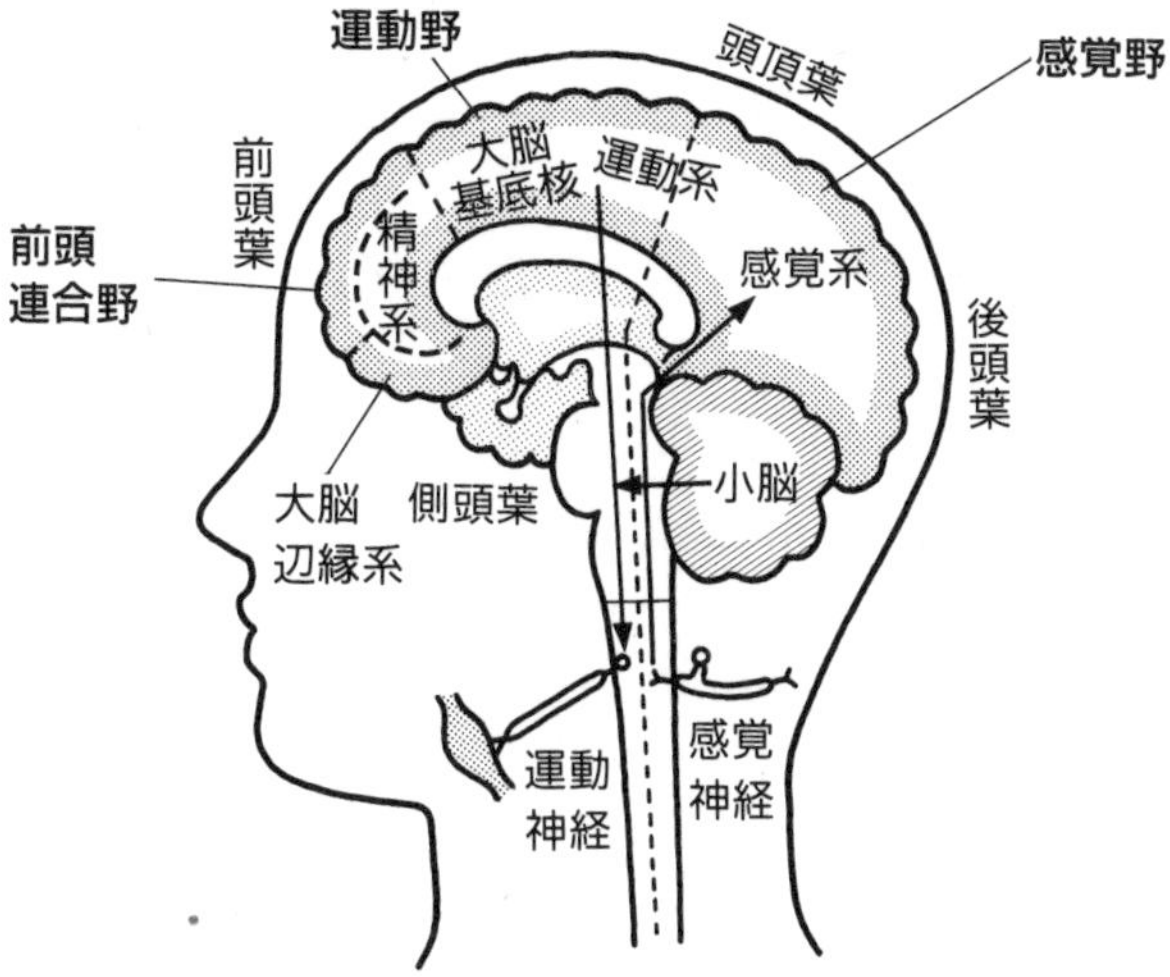

ホルモンも同じでノルアドレナリン、アドレナリンが出ると、それをおさえるセロトニンというホルモンが必ず出ておさえる側にまわる。これを負のフィードバックとわれわれは呼んでいます。電気ごたつのサーモスタットのように、何事もオーバーヒートしないようなメカニズムを人間の体はもっているのです。

脳内モルヒネにもギャバという抑制物質がはたらきます。ただ一つここに不思議な例外があるのです。人間のもっとも高級脳である前頭連合野〈図表3〉が刺激されて脳内モルヒネが分泌されるときにかぎって、この負のフィードバックがなぜかはたらかない。そして脳内モルヒネがどんどん出るのです。

他の場合では必ずある抑制物質が、なぜ高級脳がはたらくときだけ出ないのか。その理由は残念ながらいまはまだわかっていません。「まだ見つかっていないだけだ」という人もいますが、人間がそのもっとも進歩した脳をはたらかせて何かをするとき、β―エンドルフィンは抑制されることなく分泌して、どんどん気持ちよくしてくれるということは、私には「そういう世界を目指しなさい」という神様のメッセージのような気がするのです。

性欲とか食欲ではそういうことは起きません。食欲は満たされないときは強い欲求になりますが、満腹になればどんなに好物でも見るのさえいやになる。性欲も強い欲求ですが、満たされればそれでおしまいです。

またこの種の欲求は貪欲に求めると、必ず副作用をともなうことも共通しています。食べ過ぎは肥満と成人病を招く。過度のセックスも活性酸素の発生源となって、命を縮めてしまいます。生命を支える欲求は強力ですが、過ぎれば必ずマイナスに作用する。そういうものには抑制するために負のフィードバックがあるということなのでしょう。

だが人間が高級脳を生かして世のため人のために尽くすようなとき、それを止めるものは何もないのです。止めないだけでなく、どんどん脳内モルヒネが出て、最高に気持ちのよい状態にしてくれる。私はそこに何か大きな天の意志のようなものが感じられてならないのです。

マズロー博士は、もっとも高次な欲求である自己実現を果たした人々が感じる最善の状態のことを「至高経験」という言葉で表現しています。これを脳内物質で説明すれば、β—エンドルフィンがかれることなく湧き出ている状態といってよいでしょう。私たちも脳を上手に活用すれば、そのような状態になれるということです。

薬になるのと毒になるのとの違い

たとえば何か外から受けた刺激に対して「いやだな」と思うか、あるいは「いいな」と思うかは、たんに抽象的な思考レベルのことですから、なんの負担もともなわないことと思いがちです。人はよく「ただ思っただけだからいいじゃないか」といった言い方をしますが、これは思うことがなんの負担もなく、自由自在にいくらでもできることだという気持ちがあるからでしょう。

ところが脳内ではその思いはすべて物質化され、化学反応となって何かを引き起こしているのです。思うことにもエネルギーが必要です。ふだん私たちはそんなことを考えないで生きていますが、たとえば学習という行為のためには、脳内でたいへんな量のエネルギー消費があるのです。

「いやだな」と思うのも「いいな」と思うのも、基本的には学習と同じで、必ずエネルギー消費がともないます。エネルギーを使うときに脳内でどういう現象が起きているかというと、ＰＯＭＣというタンパク質が分解するのです。「いやだな」と思ったときと「いいな」と思ったときでは、このタンパク質の分解の仕方が違うのですが、このことがたいへん重要な意味をもっているのです。

ストレスが加わっても前向きにとらえて「これも試練だ、いいじゃないか」と思ったときは、タンパク質が分解して副腎皮質ホルモンというものになります〈次ページ図表4〉。このホルモンは身体的ストレスの緩和剤としてはたらきます。もう一つはβ—エンドルフィンになります。β—エンドルフィンは精神的ストレスの解消にはたらきます。

不思議なことに「いいな」と思ったときは、精神的なストレス緩和に役立つβ—エンドルフィンが出てくることがわかっています。逆に「いやだな」と思ったときには、β—エンドルフィンも副腎皮質ホルモンも出てきません。他の物質になってしまうのです。

それがノルアドレナリンやアドレナリンということですが、この物質じたいが毒性であ

図表4　解明されたホルモン合成のメカニズム

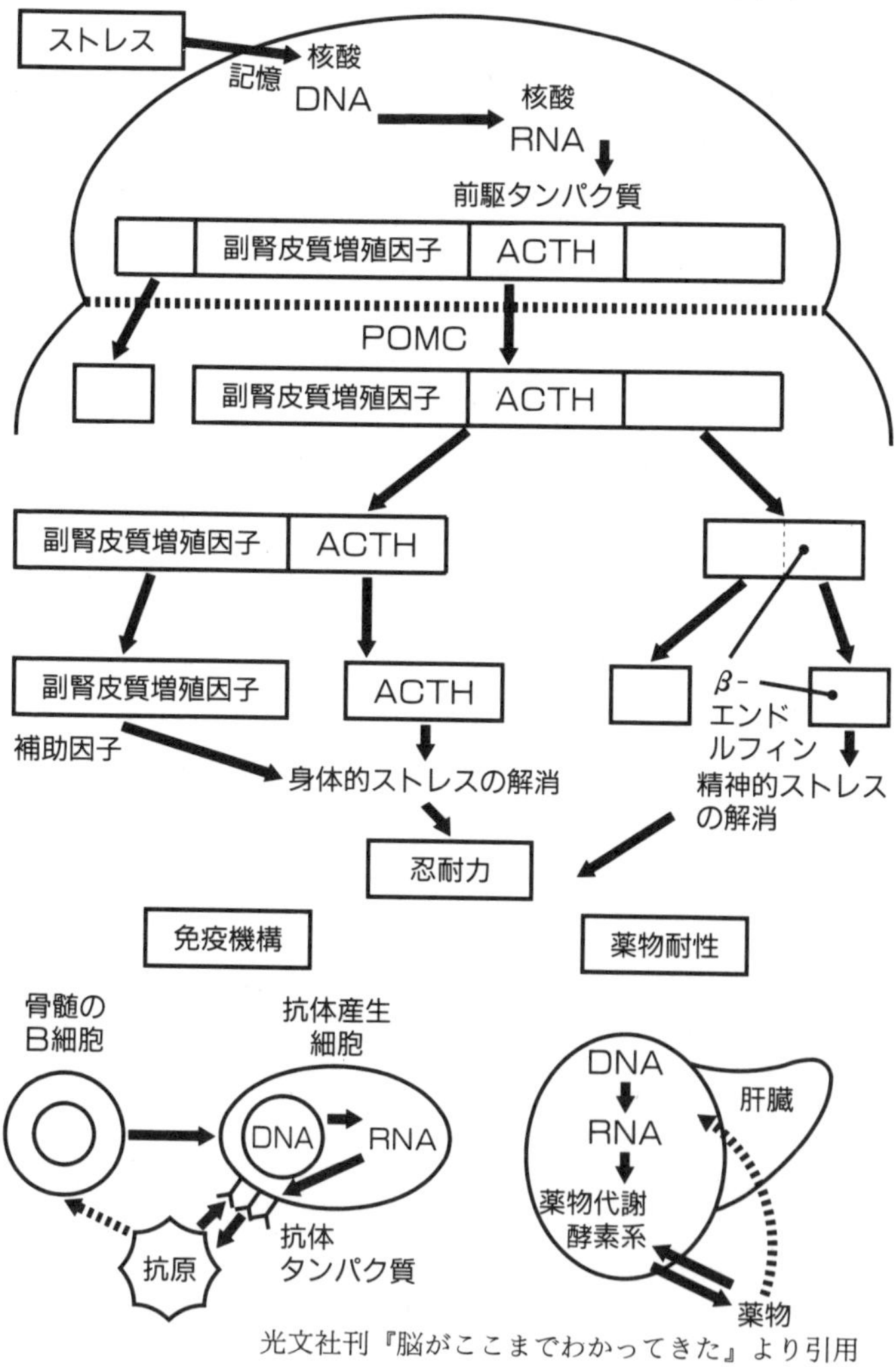

光文社刊『脳がここまでわかってきた』より引用

るうえ、さらに強い毒である活性酸素を発生させます。つまり、どんな刺激に対してでもマイナス発想をすれば、よいことは一つもないのです。

ちょっとむずかしいかもしれませんが、たとえばストレスといった刺激に対してどう思うか、たったそれだけのことで、脳内における物質のでき方にこれだけの差が出てくることを知っていただきたいと思うのです。

プラス発想のいいとらえ方をしたときは、体内にできる物質はいい薬としてはたらくが、マイナス発想のわるいとらえ方だと、薬ではなく毒になるということです。人間の考えというものはつねに習慣に支配されています。プラス発想の人は物事をなんでもよいほうに、プラスにとらえるし、マイナス発想の人はなんでもマイナスにとらえがちです。

しかし現実には、物事はとらえ方の段階ではどちらでもいいわけです。たとえば財布の中のお金を数えて「もうこれだけしかない」とも「まだこれだけある」とも思える。どちらのとらえ方をしても、そこにあるお金の額、つまり事実は少しも変わりません。

ところが人間はとかくマイナス発想で物事を考えがちです。ほうっておくと七、八割はマイナス発想になるといいます。これは「安定を求める本能的な思考態度」（マズロー）ともいえるのですが、脳内モルヒネの存在がわかったいまでは、どんなことでもプラス発想で考えるほうがよいことは議論の余地がありません。

ホルモンは脳の中の情報伝達人

脳というのはホルモンの塊(かたまり)といってもよいものです。だが一般に理解されている脳は神経の塊のほうではないでしょうか。神経細胞がいっぱいあって、それが電気回路のようになっていて、細胞と細胞をつなぐ電線のような突起が伸びている。それらに微弱な電流が流れることで、脳の命令が伝達される。こういう理解をしている人が多いようです。

しかし神経細胞が回路をつくって、そこに電線があればそれで脳がはたらくかというと、そうではありません。ホルモンがなければ脳は何もできないのです。というのは、神経細胞というものが、ある標的細胞へ命令を伝えるためには、そのまま神経細胞が電気配線のようにつながって伝達されるのではないからです。神経細胞間は小さな間隙、つまりスキマがあるのです〈図表5〉。

そのスキマにホルモンが分泌されることによって、情報を伝達するかたちがとられているのです。たとえば九州から東京に電報を打ったとします。その内容は電信で東京の電報

図表５　情報伝達におけるホルモンのはたらき

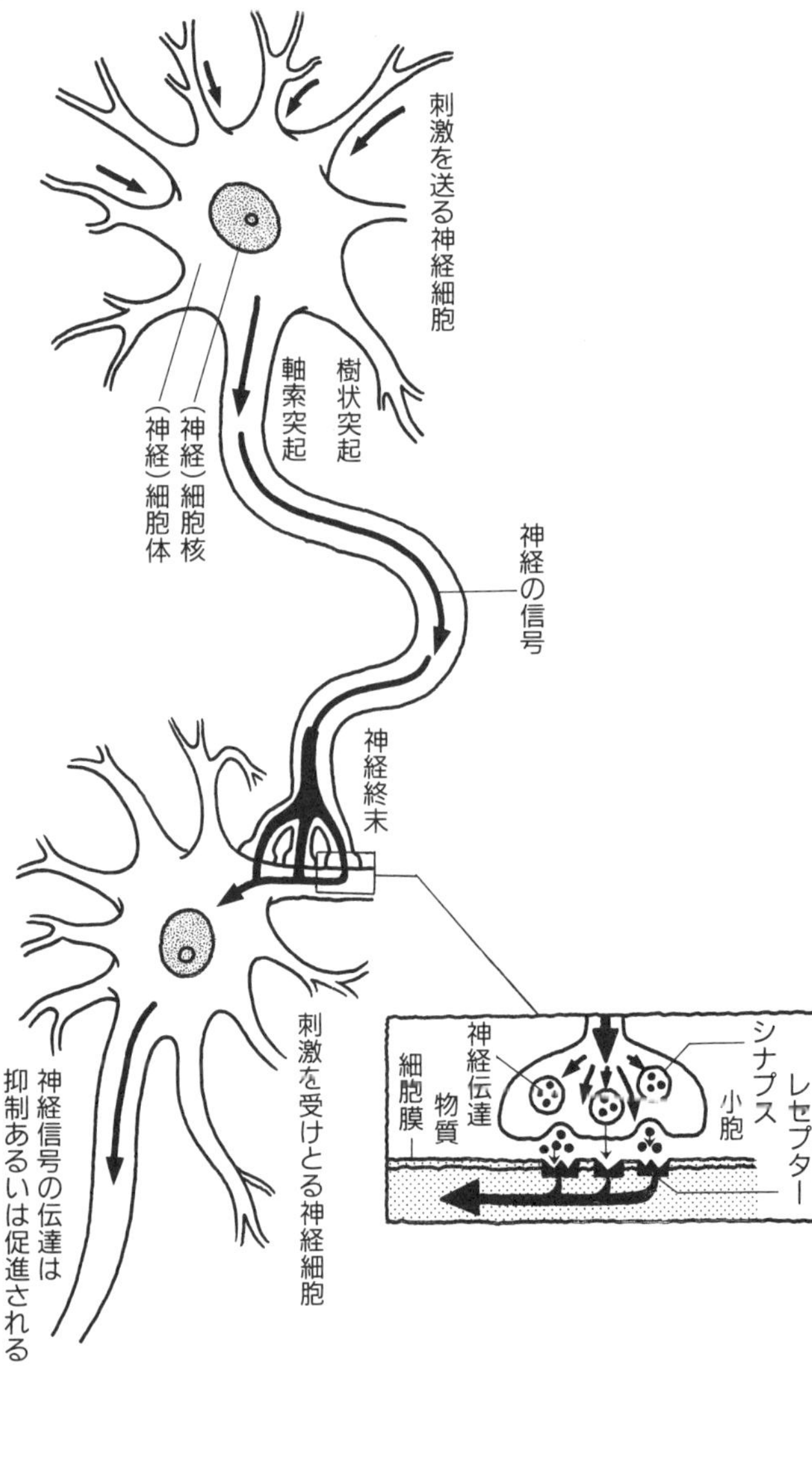

局に送信されますが、最終的に受信者の手もとに届くのは電報配達人が配達するからです。ホルモンはこの電報配達人の役割をするのです。

ホルモンというのは脳の中における情報伝達人なのです。この物質が脳のあらゆる場所で分泌され、それによって脳が体全体に指令を送る。そうすると体のほうでも同じようなホルモンが分泌され、それによって情報を受け取った細胞が、その命令にそった行動をするのです。

ホルモンとはこのように情報伝達物質であるわけですが、要するに人間がものを考えたり、行動したり、感じたりするのは、ホルモンなしには起こらないということです。現在ホルモンは百数十種類知られていますが、まだまだ知られていないホルモンがたくさんあるはずで、それがわかれば脳のメカニズムはもっともっとはっきりしてくるでしょう。

脳内モルヒネもホルモンです。ホルモンはアミノ酸からできています。脳内モルヒネにとっていちばん大切なのは〈図表6〉の右上に示したチロシンというアミノ酸です。アミノ酸はタンパク質を合成する材料ですが、全部で二十種類あり、このうち八種類が体内合成できないため、必須アミノ酸と呼ばれていることは、たぶん学校の生物の時間に習ったことがあるはずです。ちょっと復習してみましょう。

イソロイシン、ロイシン、バリン、リジン、フェニルアラニン、トリプトファン、メチオニン、スレオニンの八種類が必須アミノ酸です。チロシンは残りの十二種類に入っていますから体内合成できるものです。脳内モルヒネはいまの段階では二十種類ほど知られていますが、いちばん簡単な構造の脳内モルヒネがエンケファリンで、これはチロシンを筆頭に五個のアミノ酸からできています〈図表6左下〉。チロシンは〈図表6〉の重要な神経伝達物質であるドーパミン、ノルアドレナリンおよびアドレナリンの基本骨格を示す物質であり、事実これらの物質はチロシンより合成されます。また覚醒剤であるメタンフェタミン（いわゆるヒロポン）、アンフェタミンもチロシン構造をもっています。

ちょっと専門的になりますが、脳内モルヒネの中で最強の快感をもたらすβ—エンドルフィンはチロシンを含む三十一個のアミノ酸からできています。脳内モルヒネに相当するホルモンは、必ずチロシンを含んでいるのですが、チロシンというアミノ酸分子が二個集まると、自然界に存在する麻薬のモルヒネになります〈図表6右下〉。つまりそれだけ脳内モルヒネと麻薬のモルヒネは化学構造式が似ているのです。

チロシンというアミノ酸には、もともと麻薬的な性質があるのです。ただアミノ酸単独ではすぐに燃えてしまうために、少し分子量が大きいペプチドという形態をとっているの

図表6　脳内麻薬物質・神経伝達物質と麻薬・覚醒剤との関係

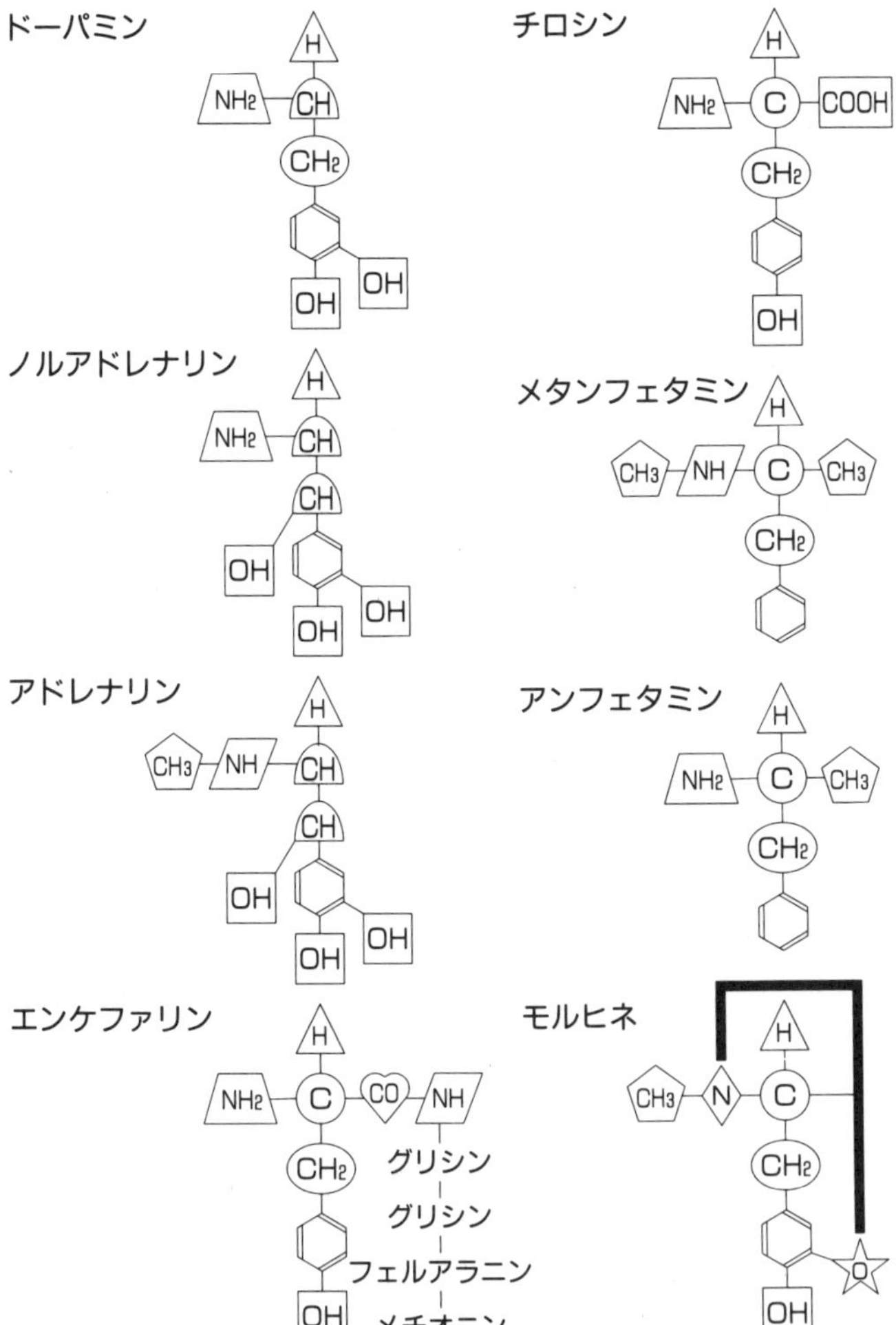

光文社刊『脳がここまでわかってきた』より引用，一部改変

です。ところでβ—エンドルフィンの分子をながめていると、脳内モルヒネについていろいろおもしろいことがわかってきます。

β—エンドルフィンは三十一個のアミノ酸からなっていますが、アミノ酸五個単位くらいで、おのおの別の役割をもっているのです。最初の五個は前述の脳内モルヒネであるエンケファリンとまったく同じ構造であり、モルヒネとしてはたらく部分、次の部分はαヘリックス構造といって、この部分は免疫力を高めるはたらきがあるのです。

その次の部分はβ—エンドルフィンを安定化させ活力を失わせないようなはたらきをしており、残りの部分はまだよくわかっていないのですが、脳内モルヒネが作用するためのレセプターとしての関連が指摘されています。

アメリカ・チェスター大学の神経生理学の教授であるデビッド・フェルトン氏は、脳と免疫系の研究において、この脳内モルヒネは脳のレセプターのみにはたらくのではないことを明らかにしました。体内のあらゆるところにレセプターが存在し、人の免疫力の中でも特に重要なはたらきをする白血球の一種であるナチュラル・キラー（NK）細胞の表面にも、レセプターが存在することがわかったのですが、これらにも脳内モルヒネが作用するのです。

同教授は、脳内にβ―エンドルフィンが現われるとナチュラル・キラー細胞の活性も高まりを見せ、免疫力が高まり、それによって病気から体を守っていることを証明しました。

しかも最近の医学雑誌の諸論文では、このレセプターは私たちが想像する以上に多くの細胞に存在するとの報告がみられ、特に精巣細胞に多いとの報告がみられます。

つまり、脳内モルヒネはたんに心の領域に影響を与えるだけではなく、体の反応にも密接な関係をもっていると考えられます。脳内モルヒネは心と体を結ぶ化学物質であるといってもいい過ぎではないでしょう。

このように脳内モルヒネというのは、いろいろな役割をもっている。これはつまり情報をもっているということなのです。β―エンドルフィンもたんに快感をもたらすだけでなく、免疫力の向上、記憶力の強化、忍耐力の創成といろいろなはたらきを導き出してくれます。

人間が思うことなど「たかが思うだけじゃないか」といっておれないのは、β―エンドルフィンのこうしたはたらき一つとってもよく理解していただけると思います。なお脳内モルヒネにはすぐれた鎮痛作用もあり、この発見によって中国鍼（はり）麻酔の効く理由もはっきりとわかったのです。

中国では昔から鍼を打つことで、いわゆる麻酔薬なしの手術を行なってきました。鍼によってなぜ鎮痛効果が生まれてくるのか、その根拠が科学的にはっきりしていなかったのですが、脳内モルヒネの発見によって、はじめて東洋医学における鍼麻酔の正しさが物理的に証明されたのです。

よいホルモンを出すか、わるいホルモンを出すか

前述したように脳内モルヒネは免疫を高める構造式をもっています。末梢のホルモン系は脳がコントロールしていますから、脳のほうで免疫力が高まるホルモンが出れば、体全体の免疫が高まることになります。

病気というものは、そのほとんどにストレスが関係しているというのが今日では常識になっています。病気と名のつく状態の七〇〜九〇％はストレスが原因といってよく、成人病では一〇〇％がそうだといっても過言ではありません。

要するに心と体というのは別物ではなく、心の思い方によって体内ではPOMCという

タンパク質がこわれる。そのこわれ方によってそれぞれ違った化学反応が起きていると考えればよいのです。「自分はだめな人間だ」と思えば、体はだめなほうへと向かう。「たいへんな事態になるぞ」と思えば、本当にそうなるように機能する。「病いは気から」という昔からの格言は、まったくそのとおりであったということです。

精神的ストレスがいかに免疫力を低下させるかを示したのが〈図表7〉です。卒業試験中と試験後では先のナチュラル・キラー細胞、つまりNK細胞の活性が明らかに違う。試験中は免疫力がドンと落ちていることがわかります。試験にかぎらず会社でも恋愛でも、ストレスを受ける人生のあらゆる場面で同じようなことは起きています。

肉体的なストレスが免疫細胞に与える影響を示したのが〈図表8〉です。学生を全力で走らせると、疾走前と七十分疾走後とでは、これだけNK細胞の活性が低下してしまうのです。この疾走は走るのが好きな人間が走ったのではなく、理由をつけてむりやり走らされた学生の例です。精神的にも肉体的にも、どちらの例でもストレスが免疫力をいかに低下させるかがよくわかります。

しかし重要なのは、精神的、肉体的にかぎらずストレスそのものではありません。卒業試験の場合でも七十分疾走した場合でも、本人がどうとらえるかが問題なのです。卒業試

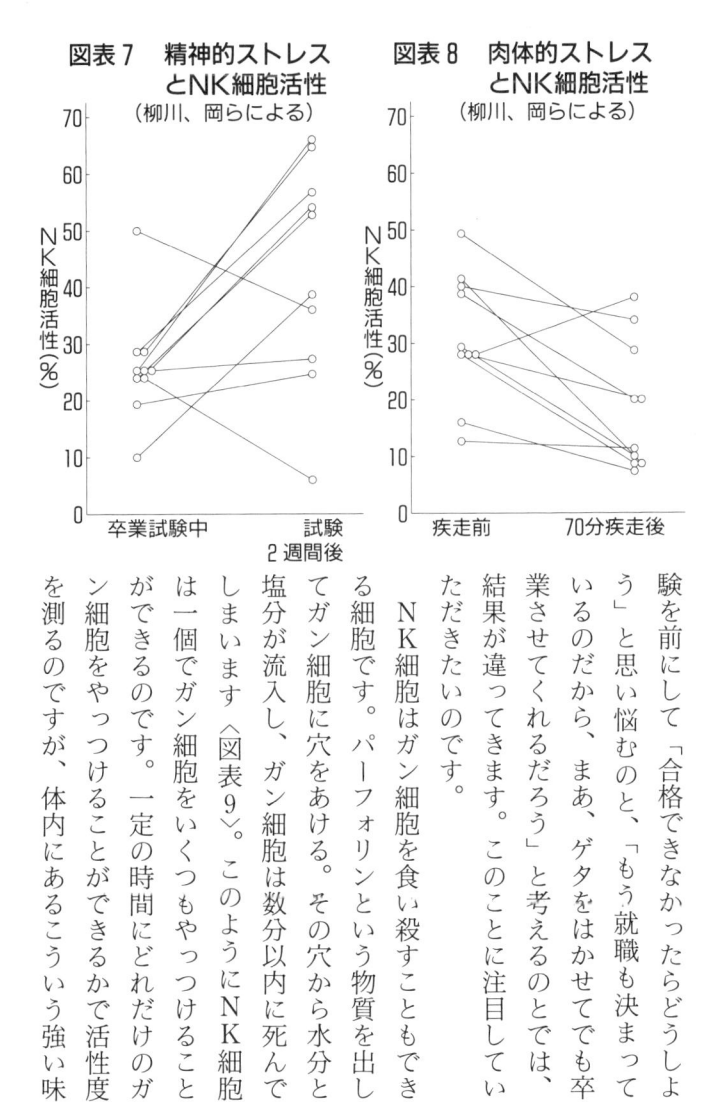

図表7　精神的ストレスとNK細胞活性

（柳川、岡らによる）

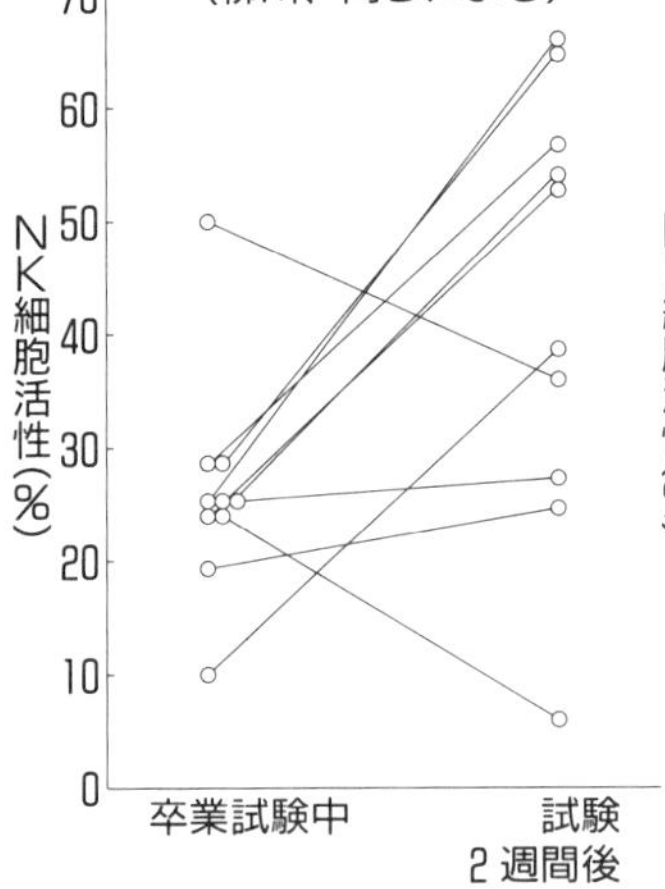

図表8　肉体的ストレスとNK細胞活性

（柳川、岡らによる）

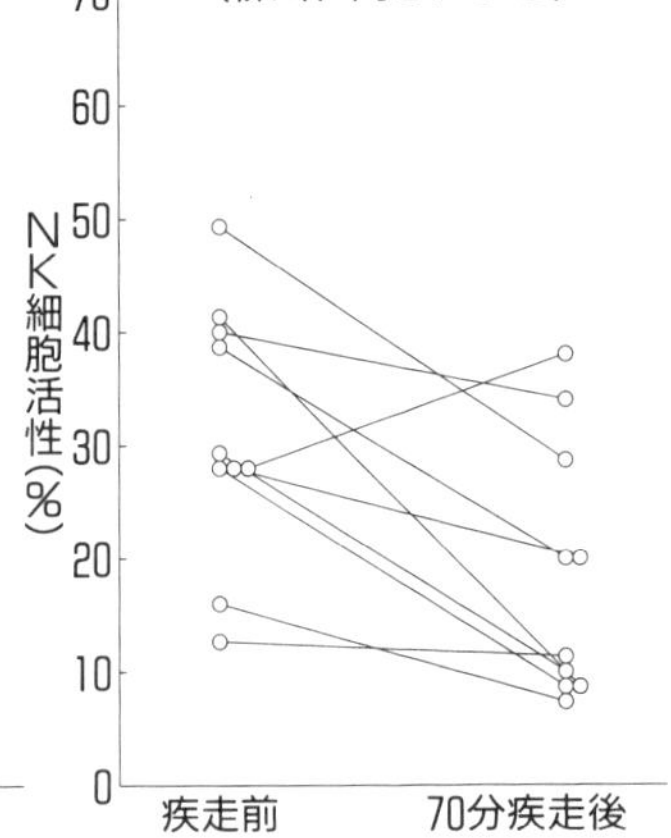

験を前にして「合格できなかったらどうしよう」と思い悩むのと、「もう就職も決まっているのだから、まあ、ゲタをはかせてでも卒業させてくれるだろう」と考えるのとでは、結果が違ってきます。このことに注目していただきたいのです。

NK細胞はガン細胞を食い殺すこともできる細胞です。パーフォリンという物質を出してガン細胞に穴をあける。その穴から水分と塩分が流入し、ガン細胞は数分以内に死んでしまいます〈図表9〉。このようにNK細胞は一個でガン細胞をいくつもやっつけることができるのです。一定の時間にどれだけのガン細胞をやっつけることができるかで活性度を測るのですが、体内にあるこういう強い味

図表9　NK細胞がガン細胞を破壊するメカニズム

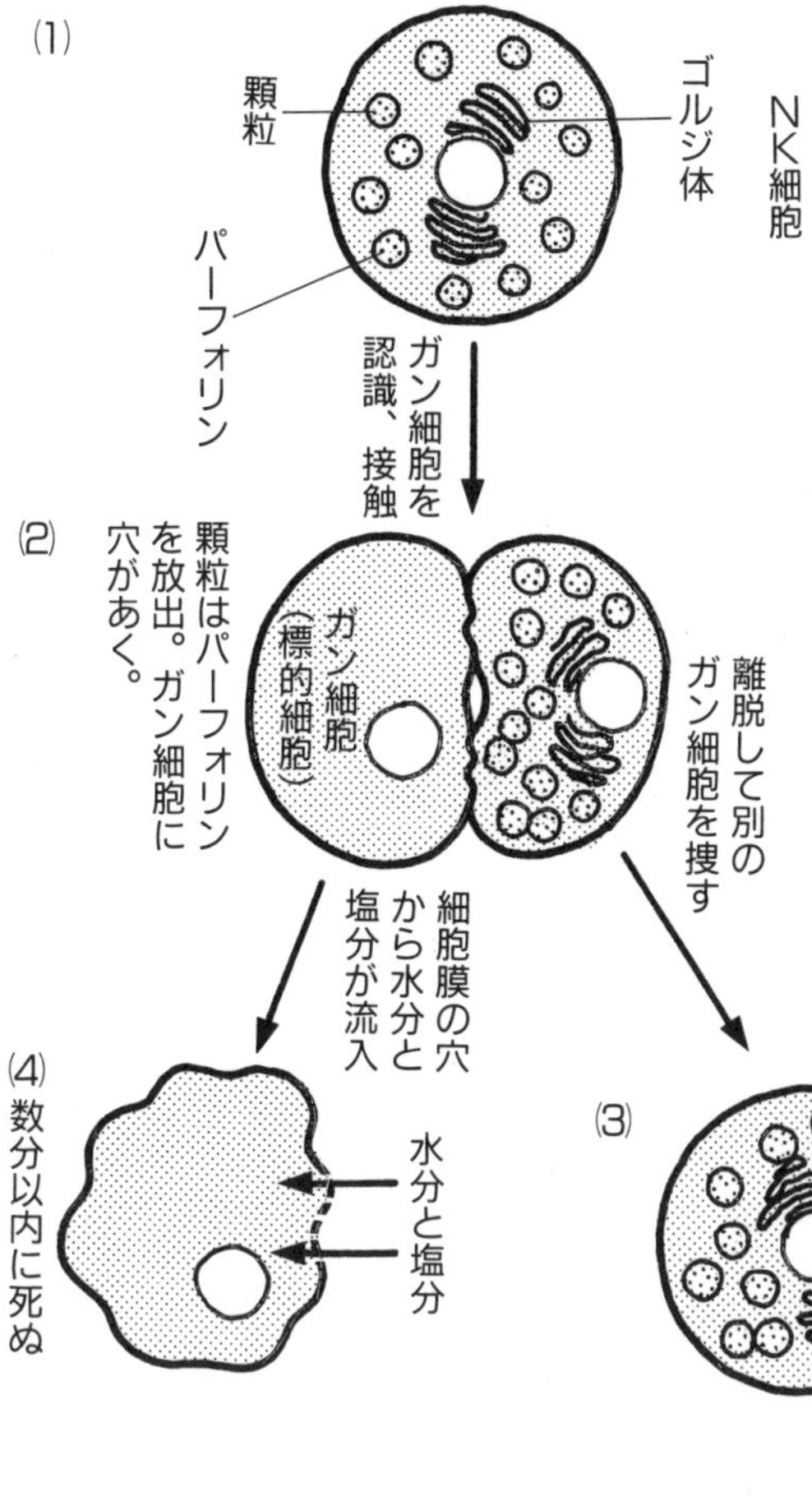

方の能力を、私たちはみずから高めることも弱めることもできるのです。

生きているかぎりストレスを避けることはできません。学生なら試験をいやでも経験しなければならない。そのとき「いやだ、いやだ」と過剰に反応し、不安や心配にさいなまれると、免疫力はどんどん落ちていく。同じように自信のない人間でも「まあ、なるようになるさ」と開き直ってしまえば、それほど落ちないものなのです。

この心理的な差は想像以上に人生に大きな影響を与えます。不安心配症の人は、始終心配ストレスを感じ続ける。そういう人はいつもノルアドレナリンやアドレナリンの世界に浸っていることになります。

境遇、状況は同じでも、楽天家はβ—エンドルフィンの世界にいることができる。長い目で見たとき、健康状態から人生の成功、不成功まで、プラス発想とマイナス発想では天地の開きが出てくることになります。

アメリカで発達した願望実現の成功法則では「よいことを思えばよいことが起きる。わるいことを思えばわるいことが起きる」といいますが、「よいことを思えば脳からよいホルモンが出る。わるいことを思えばわるいホルモンが出る」といい替えることができます。

成功理論では潜在意識というものをもち出して、人間の想念というものが人生を決めるといっていますが、その科学的根拠はいま一つ明らかではありませんでした。なぜかというと、心というものを物質としてとらえることができなかったからです。

そのために潜在意識、潜在能力というものの出てくるメカニズムの説明が、抽象的にならざるをえなかった。「心でよいことを思うとなぜよい結果が出るのか」と聞かれて、納得のいく科学的説明は無理だったのです。

だがいまはそれが可能になりました。よいことを思えば脳からよいホルモンが出る。そのホルモンは人間を心地よくし、やる気にさせるだけでなく、潜在脳がはたらいて自分でも想像できなかったような能力が発揮できるようになる。しかもつらい体験にへこたれずに、それを乗り越える忍耐力も出てくる。これだけそろえば、おのずと人の抱く願望実現の確率は飛躍的に高くなって当然といえるでしょう。

心が科学でとらえられるようになった

人間にはすぐれた自然治癒力があり、その中心になっているのが免疫機構であることはずっと昔から知られていました。しかし以前は心と免疫力はぜんぜん別なものと思われていた。それが実は一体のものであったということです。

このことは「ものをいい方向に考えることじたいが効き目のある薬」と理解していただければいい。人間はだれでもその体内に、どんな製薬会社にも負けないだけの、それはそれは立派な製薬工場をもっているのです。

心がプラス発想すれば、体内製薬工場では瞬時に体のためになる薬がつくり出される。その薬によって、私たちは病気を治すことができるのです。しかし一つ間違ってマイナス発想をしてしまうと、体内製薬工場は体にわるい薬をつくり出す。このことをしっかり頭に入れておく必要があります。

人間には素朴な信仰というか、根拠のあまりない前提があって、それはたとえば「食べたいものを食べていれば栄養的に心配はない」といった言葉に表わされます。たしかに一面ではそういえます。体が健康な場合は体が欲するものを素直に食べていれば、大きな間違いは犯されない。しかし人間の体は私たちが思っているほど善良ではありません。それどころか一歩誤ると、自分で自分の首を締めるような行動に出るものなのです。

その証拠がホルモンです。始終イライラ怒ってばかりいる人間に「あなた、そんなに怒っていたら体に毒ですよ」とはいってくれない。忠実な召使いのように、ノルアドレナリンやアドレナリンを出し続ける。その結果、ご主人様がガンになろうと肝臓をだめにしようと「知ったことではない」というのが体のメカニズムなのです。

ただ誤解のないようにしていただきたいのは、ノルアドレナリンやアドレナリンはけっして悪者ではないということです。人間の体の中で発生するものは、必ずそれなりの目的、必然性というものをもっています。ノルアドレナリンやアドレナリンはドーパミンの親戚で人間のやる気や活力の源でもあるのです。

ただ体の中で、こんな毒がなぜできるのか、と思われるほど毒性が強い。その毒性は蛇毒に匹敵する猛毒で、いつもイライラするような世界に入ってばかりいると長生きできないばかりか、人生がけっしてうまく運ばないのです。

脳内モルヒネが見つかって、イギリスの科学雑誌『ネイチャー』にはじめて掲載されたのが一九八三年。まだそう日がたっていませんが、いままでわからなかった心というものの正体が、科学の目でとらえられるようになったのは、大きな進歩ではないでしょうか。

たとえば人間には根性のある人とない人がいる。なぜそうなのか。これまでは精神論で叱咤激励するしかなかったのが、これからはもっと合理的に脳内モルヒネを出す方法を考えればよいということにもなるのです。

体の中の脂肪量で寿命が決まる

脳細胞が元気でいるためには、脳内モルヒネがよく出て、毒性ホルモンが抑制されているだけでいいかというと、ことはそう簡単にはすまないのです。あと少しこのことに関連して知ってほしいことがあります。

脳だけの重量というのはだいたい一・四キロ、体重六〇キロの人でいえば、わずか二・三%くらいの重量しか占めていません。しかし姿形は小さいが、消費している血流とか酸素量をみると、全体の一五%から二〇%を占めている。それだけ酸素と血流のもつ意味が大きいということになります。

つまり、いつもいい酸素がたっぷりあって、よい血流が流れていて、脳内モルヒネが分泌されている状態ではじめて脳細胞は活性化して、体に対して最高最良の状態を指令することができる。もしどれかが不足すると、すぐにその影響が出てくる。その中で一つたいへん怖いのは血管の目詰まりなのです。

血流を阻害する血管の目詰まりは、ノルアドレナリンの分泌によって血管収縮が起き、血小板がこわれてカサブタをつくることが原因だ、という話をしましたが、血管が目詰まりを起こすのは脂肪も大きな要因になってきます。

脂肪は人間が食べる食物の中でいちばんおいしいものです。おいしいものを食べると脳内モルヒネがふんだんに出るので、その点ではプラスなのですが、一方で必ず血管の目詰まりの原因をつくります。

そういう意味で脂肪の摂取は少ないにこしたことはないのですが、タバコがやめられないのと同じで、わるいからといって「はい、そうですか」と食べるのをやめられるものではありません。無理してやめれば毒性ホルモンの出番になります。

そこでどうするか。これはあまりいわれていないことですが、筋肉をしっかり保てばよいのです。筋肉が脂肪とどう関係するかというと、脂肪が燃えるのは筋肉の中でしかないのです。つまり筋肉がしっかりしている人は、同じ量の脂肪を食べても、すぐに燃えてなくなる。筋肉の少ない人は燃えないで体脂肪として蓄積されるのです。

たとえば同じ六〇キロの体重の人が二〇〇〇カロリーずつ食べ続けたとします。その場合に早死にするか長生きするかは、体の中の脂肪量に左右されます。脂肪量の少ないほうが長生きしますが、その差は筋肉量によって決まってくる。しっかり筋肉のついている人のほうが脂肪蓄積は少ないのです。

　では筋肉をどんどんつければいいかというと、これもまたそうは問屋がおろさないところがむずかしい。筋肉をつけるためには、かなり激しい運動量をこなさなければならないからです。筋肉をつけるための激しい運動は活性酸素の発生率を高くします。

　したがって筋肉のついている人はそれを落とさないようにして、ゆるやかな運動をすると脂肪がどんどん燃えてくれます。筋肉を落とさない運動はストレッチ体操などのあまり激しくない運動にとどめておくのが理想です。

　逆に筋肉が極端に少ない人は体脂肪が多くても太って見えません。だから安心してしまいがちですが、血管の目詰まりは見た目と関係なく襲ってきます。筋肉の極端に少ない人は、パワートレーニングなどによって一定量の筋肉をつけておかないと、成人病の危険が高く、長生きできないのです。

脳内モルヒネに役立つ食事がある

　筋肉に続いてもう一つ脳細胞の活性化に重要なのは食生活です。私は冒頭に「心で考えることはきちんと物質化されて体に作用する」と述べましたが、物質であるかぎりはそれを構成する材料が必要になってきます。その材料が食事ということになります。

いま日本は裕福な国ですから食べるものがないという心配はありません。むしろ食べ過ぎの心配をしなければならない。しかし、たんに食事量を減らすのはたいへんな間違いなのです。カロリーはおさえなければなりませんが、脳内モルヒネのためには高タンパクの食事が絶対に必要になってきます。

というのは脳内モルヒネの構成材料はタンパク質といってよいからです。前述のとおりタンパク質は二十種類のアミノ酸からできています。食事から摂取されたタンパク質は体に入ると、いったんアミノ酸に分解され、それから体の構成材料や酵素として再合成される。二十種類のうち八種類の必須アミノ酸は外から取り入れないと体の中ではつくれない。また食いだめということもできません。さらに脳内モルヒネをたくさん出せば、それだけ材料を早く使ってしまいます。毎日の食事で良質のタンパク質をきちんと摂取することが脳細胞の活性化には不可欠といえます。

体の中のホルモンは、いまのところ百数十種類見つかっています。ホルモンはアミノ酸が数十個つながったタンパク質の一種ですから、食事から摂取するタンパク質が質量ともに不十分では、いくらプラス発想をしても脳内モルヒネが不足することになってしまいます。

脳内モルヒネと呼ばれるホルモン物質は先にも述べたように、全部で二十種類が知られていますが、そのいずれもチロシンというアミノ酸が重要な役割を果たしています。チロシンがないと脳内モルヒネ系のホルモンはつくれません。

チロシンは必須アミノ酸ではありませんが、いくら体内で合成できるといっても、それはあくまで材料あってのこと。高タンパクの食事でつねに材料を補う必要があります。高タンパクの食事が重要な理由がこれでおわかりになるはずです。なお脳内モルヒネに役立つ食事については第三章で詳しく紹介します。

ポイントは「食事」「運動」「瞑想」の三つ

もう一つ、脳内モルヒネに関して知っておいてもらいたい重要なことがあります。それは脳波との関係です。脳内モルヒネが出ているときは、必ず脳から α 波の脳波が出ているということがわかっています。

β 波が出ているときは β―エンドルフィンは消えています。入ってくる刺激は同じでも、それを頭でどうとらえるかによってα波になったり、β波になったりするのが脳波からみた私たちの脳のはたらきなのです。

β波は生きていくうえで不可欠なものですが、こればかり出していたのでは、人間は長生きできないし、人生を楽しむこともむずかしくなってきます。α波を出すのはある意味では簡単で、どんなことでも肯定的に受け入れる姿勢で感謝し、プラス発想をすればα波状態になることができます。

α波状態と脳内モルヒネの分泌はニワトリと卵の関係で、どちらが先かあとかは別として、とにかく一体の関係にあるのは間違いありません。このα波にいちばん効き目があるのは瞑想で、うまく瞑想ができる訓練を積めば、α波は思いのまま出せるようになります。

α波が出せるということは、脳内にβ―エンドルフィンなどの快感物質を分泌できるということで、これが自在にできれば人生の色合いはずいぶん違ってくるはずです。

ふつう私たちは何かをしようとすると無意識に緊張がともなって、実力が発揮できないという、いわゆる「努力逆転の法則」がはたらくのですが、この原因となるホルモンが、アドレナリン系の神経伝達物質なのです。このようなときにプラス発想をして意識的に脳内モルヒネを分泌させると、脳波は α 波にコントロールされ、大脳の前頭連合野の機能が活性化します。

そのような状態では、意識と潜在意識が統合され、脳の深いレベルで、成功へ向けての肯定的な発想をプログラムすることができるのです。

したがってこのような状態では潜在意識を意識的にコントロールすることができ、さまざまな能力が活性化されます。潜在意識が意識化されることによって精神感覚も鋭くなり、カンやヒラメキの力が強くなります。そのため創造力も大いに発揮されるようになるというわけです。

ここで私がプロローグで述べた「食事」「運動」「瞑想」の三つがポイントになる、といった意味がおわかりいただけたと思います。脳内モルヒネに役立つ「食事」、筋肉をつけるための「運動」、α 波を出すための「瞑想」の三つがポイントになるのです。

「病いは気から」は医学的にも大正解

ところで脳内モルヒネのはたらきが解明されるにつれてわかってきたことは、人間の心

図表10　エー・テン（A_{10}）神経の位置

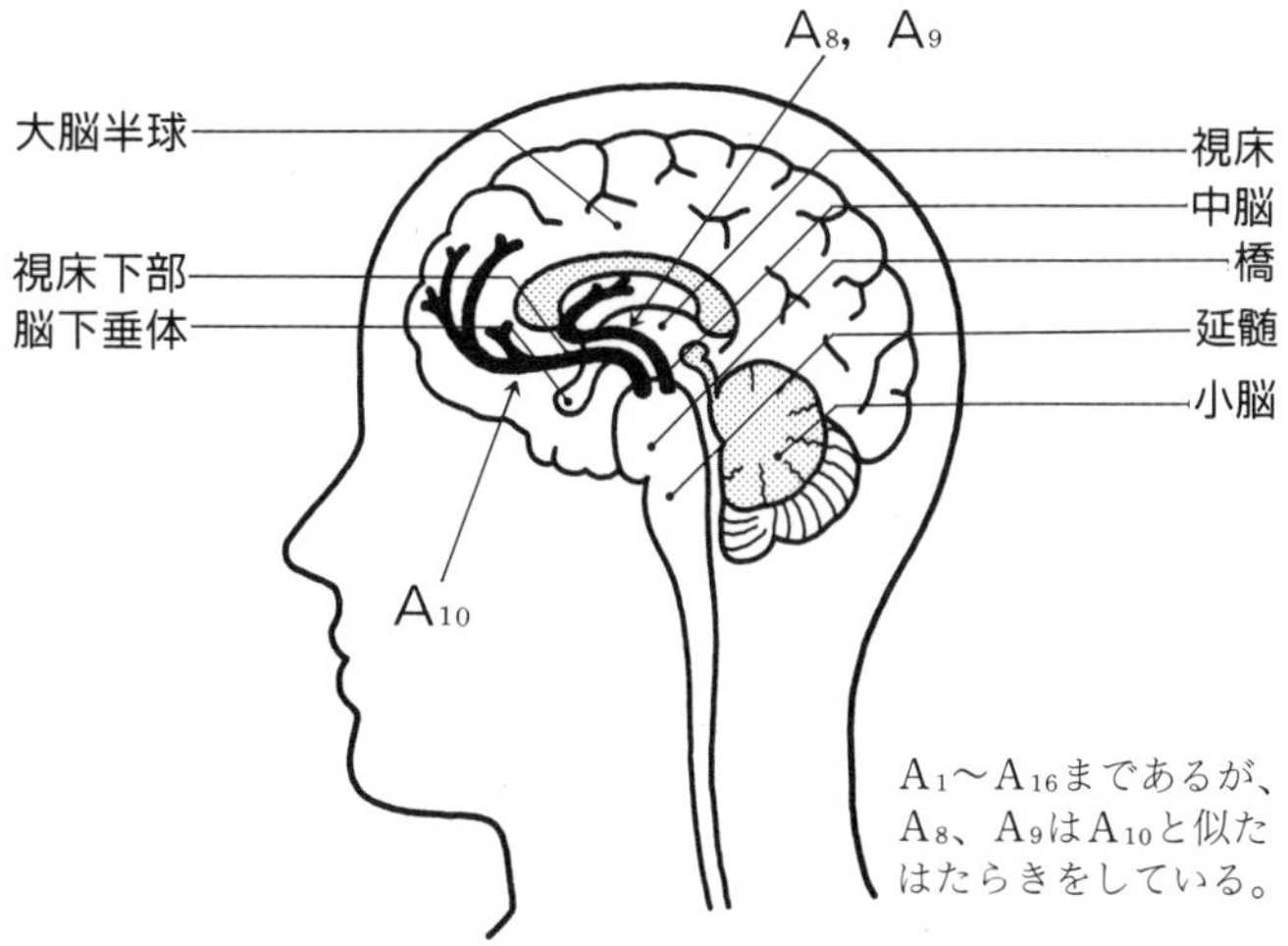

というものは考え方によって制御できるということです。人間の心は脳の中の脳幹、大脳辺縁系、大脳新皮質からなっていると考えられるのですが、この心をつかさどる脳にエー・テン（A_{10}）神経というものがあります〈図表10〉。

エー・テン神経は別名を快感神経といい、何か刺激を受けると私たちに快感を生じさせるのです。興味深いのはこの神経が性欲、食欲、体温調節といった、ごく原始的な生理欲求から運動、学習記憶、さらに最終的にはもっとも高い人間精神をつかさどる脳、前頭連合野にまでつながっていることです。

おいしいものを食べたり、セックスをすると私たちは大いなる快感を感じますが、スポーツでも勉強でも、いうにいわれない快感が生じてきます。また人のために役立つとか世の中をよくする行為でも、私たちはひじょうに高い精神的な喜びを感じます。

こうした人間の思考や行為から生じる快感は、すべてエー・テン神経に由来すると考えられるのです。

エー・テン神経はいまから十七、八年前に発見された新しい神経で、この発見がβ―エンドルフィンなど脳内モルヒネの存在が知られる端緒となったのですが、この神経の研究が進むにつれて、たいへんなことがわかってきたのです。

それは私たち人間の脳は、エー・テン神経をコントロールできるということでした。エー・テン神経は犬猫にもあります。爬虫類にもあります。彼らもこの神経によって快感を感じていますが、彼らはエー・テン神経をコントロールできる上位脳をもちません。

だが大脳新皮質をもつ人間はエー・テン神経から快感を得ると同時に、ものの考え方一つでエー・テン神経を自由にコントロールできることがわかってきました。

そのコントロールのカギをにぎっている物質が脳内モルヒネのβ―エンドルフィンなのです。

人間も脳の大脳新皮質をはがしとってしまうと犬猫並みになってしまいます。さらに犬猫の上位脳である大脳辺縁系をとり去ると、人間でありながら爬虫類と変わらない脳レベルにまで落ちてしまいます。私たちが食べることでもセックスでも、犬猫や爬虫類とは違った意味づけや価値をもてるのは、大脳新皮質のおかげといってよいのです。

さらにもっと高次の愛や自己実現といったことへと欲求を高めていけるのも、大脳新皮質あってのことです。しかし同時にそういう行為へと人間をいざなう動因は、それが快感をともなうからで、いかに高邁な理想を抱こうと、人間は快感の得られないことは最終的にはしようとしないのです。

ただありがたいことに、私たちはよいことをするとよいホルモンが出る仕組みを備えている。恋人のためを思って、あるいは子供のため、妻のため、組織のためと思えば、つらいことをやっても快感が得られる。そういうとき脳波は α 波になり、β―エンドルフィンがこんこんと分泌されるのです。

さらにいえば記憶力の向上も、人間関係を平和に保つにも、またやる気や忍耐力、創造力を発揮するのも、β―エンドルフィンが関係する。人間精神のすべての営みを好循環にもっていくか悪循環にもっていくかは、その人の考え方一つにかかっているのです。

物事をすべてよいほうへと考え、プラス発想をすれば、β―エンドルフィンが分泌され、よい気分になれます。しかしいやだと思ったり、憎んだりうらんだり怒ったりすれば、β―エンドルフィンは分泌されません。

なぜそうなるのか、そのメカニズムはまだよくわかっていません。しかし一つだけはっきりいえることは、昔からいわれてきた「病いは気から」は、大正解であったということです。

前向きに「ああ、幸せだな」「うれしいな」「まだ恵まれているな」というふうにとらえればβ―エンドルフィンの世界に入れる。同じ刺激でも「いやだ」「苦しい」「うらんでやる」などと思うと、不快、病気、事故、対立抗争、失敗、失意、落胆と自分自身を滅びの方向へと誘導してしまうのです。

脳内モルヒネの世界はまだわからないことが多く、私が理解していることなど、おそらく全体の一〇％にも達していないでしょう。しかし二十一世紀の健康法や医療の最大のターゲットは脳内モルヒネになると私は確信しています。

第一章の要約

- 「心で考えること」は、抽象的な観念などではなく、きちんと物質化されて「体に作用する」。
- 人間は怒り緊張すると、脳内にノルアドレナリンが分泌され、恐怖を感じたときはアドレナリンが分泌される。これらの物質は有毒である。
- 物事をプラス発想でとらえるとβ―エンドルフィンが分泌される。このホルモンは若さを保ち、ガン細胞をやっつけ、人を楽しい気分にさせてくれる。
- 世のため人のためにならないこと、人からうらみをかうようなことをすると、脳は滅びの方向へと誘導しはじめる。
- 脳内モルヒネにはテコの原理に似たエネルギー増幅効果がある。
- 人間の欲求は「ファイブF」という言葉で表現できる。「ファイブF」は、①ファッキング（性欲）、②フィーディング（食欲）、③フロッキング（群れる）、④ファイティング（攻撃）、⑤フリーイング（逃走）の五つのことである。
- 人間の基本欲求は段階的に高まっていく（マズローの欲求段階説）。
  ①生理的欲求
  ②安全の欲求

③所属と愛の欲求
④承認の欲求
⑤自己実現の欲求

- 脳内モルヒネにもギャバという抑制物質がはたらくが、高級脳である前頭連合野の刺激で脳内モルヒネが分泌されるときにかぎって負のフィードバックがはたらかない。
- 心がプラス発想すれば、体内製薬工場では体のためになる薬がつくりだされる。
- 脳内モルヒネが出ているときは、必ずα波の脳波が出ている。
- エー・テン神経（快感神経）が性欲、食欲、体温調節などの生理欲求から運動、学習記憶、さらに最終的にはもっとも高い人間精神をつかさどる脳、前頭連合野にまでつながって人生の快感を与えてくれる。

第二章

筋肉をつければ病気にはならない

脂肪を摂取しても成人病にはならない

成人病というのは、原因のほとんどが脂肪がらみです。ストレスと脂肪、この二つが重なったらだいたい病気ゾーンに入っていきます。

ところが現代はこの二つが、いとも簡単にたまってしまうのですから、成人病が増えるわけです。

自然界で食べ過ぎて死んでしまうのは、人間と家畜、動物園の動物以外にはいません。家畜も動物園の動物も人間の管理下にありますから、すべては人間がわるいということになります。

しかしいくら反省しても、人間は本能としてどうしてもおいしいものを食べたがる。「わかっているけど……」といいつつ、わるい食べ方をしてしまいます。おいしいごちそうはほとんど例外なく脂肪を含んでいます。大げさにいえば脂肪の毒にあたって死んでしまうのです。

では脂肪の毒にやられないためにはどうしたらいいか。一般にいわれているのは「脂肪をとらないようにすること」です。しかし、それができれば世話はないので、できないからみんなが悩んでいるわけです。私はこの脂肪を求めたくなる気持ちを認めようと思っています。

なぜかというと、おいしいものを食べればいい気分になります。いい気分になれば脳内モルヒネが出ます。これはプラスだからです。食べたいものを食べないで、ストレスを感じて老化を早めたり、成人病になるのではわりがあいません。

では脂肪の毒にやられないためにはどうしたらいいかというと、筋肉をしっかりとつけて、それを減らさないことです。なぜかといいますと、筋肉量と酸素さえあれば脂肪は燃えて、完全に炭酸ガスと水になるからです。

つまり筋肉量さえ減らさなければ脂肪の毒にはやられない。中年になって肥満し、成人病になるのは、筋肉量が減ることが原因なのです。筋肉は体をかたちづくるほか、体を動かす役割を果たしていますが、もう一つ重要な役割があります。それは血液の循環をよくすることです。

血液は心臓がポンプの役割をして、全身に供給されていきますが、各細胞に栄養やエネルギーを供給し終わると、細胞の老廃物を受け取り、静脈血となってふたたび心臓に戻ってきます。

供給された血液を心臓に送り返すとき、全身の筋肉の力が必要になる。そのため筋肉は「第二の心臓」とも呼ばれています。

つまり体の中の血液循環は心臓と全身の筋肉の共同作業によって成り立っている。その筋肉が減ってしまったら、血液循環はうまくいかなくなる。このことが成人病の引き金になるのです。

筋肉が減ったかどうかは、自分のお腹を見ればわかります。お腹がせり出してくるようになったら、脂肪がたまりはじめたと同時に筋肉が減っている証拠です。当然、血流もわるくなっていると思わなければなりません。

お腹は腹腔といって内臓をおさめる空所になっていて脂肪がたまりやすい場所です。脂肪は皮下にもたまりますが、腹腔にはとりわけたまりやすい。だからここを見れば脂肪のたまりぐあいは一目瞭然です。

いずれにしろ、端的にいってお腹がボコッと出だしたら、もうかなりの勢いで脳細胞が死んでいっていると思って間違いない。お腹の状態を見るだけで、老化の進展度や成人病の危険の有無があるていどわかってしまいます。

激しい運動は二十五歳までにしておく

お腹がせり出してきたらどうすればよいか。筋肉が減ったのですから、ふたたび筋肉をつければよいのです。ただ、ここで一つ問題なのは、筋肉をつけようとするとエネルギーが発生することです。そのとき毒性の活性酸素が出てくるので、これをしっかり中和させる必要があります。

二十五歳くらいまでの若い間は活性酸素の毒を中和するSODが十分つくられるので、きちんと中和することができます。しかし、このころ、つまり脳の発育が止まるころになるとどういうわけか、SODの蓄積がガクンと止まってしまうのです。

だから体を鍛えて筋肉をつけるのなら、まだ脳が発育中の若いときがよい。若ければ激しい運動をして多少の活性酸素が出ても平気だからです。この時期に筋肉をつけておき、あとはそれを衰えさせないようにすることです。

しかし脳の発育が止まったら、もう体を鍛えられないかというと、そんなことはありません。脳の若さを保つには、脳内モルヒネをふんだんに出せばよいからです。脳内モルヒネを出すことで活性酸素の害を中和しながら体を鍛えればよいのです。したがって二十五歳を過ぎたら、なるべく過激な運動は避けて、脂肪を燃やすためにできるだけゆるやかな運動をします。ゆるやかな運動なら脳内モルヒネもよく分泌し、活性酸素の害も中和してくれるからです。この中和のバランスがなかなかむずかしいところでもあるのです。

というのは、脳という器官は意外にもろいところがあるからです。脳は体全体からみれば小さな器官ですが、エネルギー消費は大きい。前述のように酸素消費量では全体の二〇%にものぼっているのです。

それだけ酸素のスムーズな供給が必要で、ちょっとでも途絶えると、いちばん最初にその影響をまともに受けてしまうのです。たとえば脳への酸素供給が止まったら、脳は三分ともちません。他の臓器がまだ生きているのに脳死ということがいわれるのは、いったん脳が死んだら、もう二度と正常には戻らないからです。

それだけもろいところのある脳ですから、脳血管の血流がわるくなることは、他の場所の血流がわるいことと違って重要な意味をもちます。私が第一章で脳内モルヒネの分泌ということを、しつこいくらい強調したのは、それじたいの重要性もさることながら、ノルアドレナリンやアドレナリンの分泌によって血管を収縮させ、血流を阻害することをおそれたからなのです。

ノルアドレナリンやアドレナリンは、私の知るかぎり最大の血管収縮物質です。これをたくさん出すと、血管が収縮するだけでなく、血管内に目詰まりが生じてきます。そのメカニズムは以下のようなものです。

まず血管が収縮すると血流が阻害されます。血流がわるくなれば酸素の供給が少なくなります。酸素が足りないと血液成分の血小板などが簡単にこわれてしまいます。このこわれた血小板が血餅となって血管内に目詰まりを起こすのです。

脂肪も血管にたまりやすいのですが、血管内に入ってきても血液がサラサラと流れていればめったなことではたまらない。だから血管の目詰まりを生じさせる諸悪の根源は血管収縮であるということです。

脳の太い血管が目詰まりしたのが脳梗塞ですが、その前に必ず細い血管が目詰まりを起こします。目詰まりを起こした付近の細胞はどんどん死んでいきます。これがいわゆるボケのはじまりです。人間は三十代後半になると、こういうかたちで一日十万個の脳細胞が死んでいくといわれています。

一日十万個といえばずいぶん多いようですが、これには個人差があって、脳の若さが保てれば脳細胞が死ぬのを大幅に減らすことができる。もともと人間は百二十年は現役で生きられるように設計されていますから、本来の機能を損なわないようにすれば、そう心配することはありません。

そこで最大の問題は筋肉をどうつけるかということになってきます。前にも述べたように、運動をして筋肉をつけるときは、エネルギーを大量に必要とし、エネルギーを発生させるときには活性酸素も発生します。そこで活性酸素の害をできるだけ軽減しながら、どうやって筋肉をつけていくかが問題になってきます。

そのためにいったい活性酸素がどのようにして発生するかを、もう少し詳しく知る必要があります。一つわかっている重要な点は、活性酸素は再灌流のときひじょうに大量に発生するという事実です。

再灌流というのは、いったん血流が止まってふたたび流れ出すことです。毛細血管は血球一個がやっととおるくらいの太さなのです。たとえばノルアドレナリンが出て、血管がギュッと収縮する。一瞬ですが血流が止まります。しかし血液は心臓がポンプの役目をして一定の圧力で送っていますから、すぐにまた流れ出す。そのときドッと活性酸素が発生するのです。

その活性酸素は何をするかというと、まず細胞を直撃して遺伝子を傷つけます。傷ついた箇所によってはガンが発生したりするのです。遺伝子が傷つけられなくても、血管の内皮が傷つけられ炎症を起こします。

だから血流というのは、春の小川のようにいつもサラサラとコンスタントに流れていなければならない。怒りっぽい人が短命で、おだやかな人が長命なのは、血管収縮の差といってもよいのです。

運動のあとは急にやめないのがコツ

いつもサラサラと流れる血流を確保するためには、しっかりした筋肉をつけることが必要ですが、そのためには運動をしなくてはなりません。その場合に活性酸素の被害を少なくするコツの一つは運動を急にやめないことです。

このことを理解していただくために、適当かどうかはわかりませんが男女間のセックスを例に挙げてみたいと思います。ご承知のとおりセックスはかなり激しい運動です。激しい運動ほど活性酸素が大量に発生します。

人にもよるでしょうが、セックスは一方でひじょうに脳内モルヒネを分泌します。それだけ気持ちがいいので、ついつい激しい行為になってしまうわけです。脳内モルヒネが出ることは体によいことです。

セックスが美容や健康によいとの説が昔からあり、きまじめな人はそれを否定しますが、脳内モルヒネがどんどん出るという事実から、これをたんに俗説と退けるわけにはいきません。欲求を満足させて脳を喜ばせることは体にも心にもよいことなのです。

ただ問題は激しい運動をどう収束させるかなのです。激しい運動をしているときは血流が増します。ところがそれを急にやめてしまうと、いままで順調に流れていた血流が酸欠状態になってしまうのです。

これを酸素負債といって、運動しているときは酸素を余分に使ってしまっているのです。たとえば百メートルを全力疾走すると、ゴールについてからハアハア息をします。あれは先に体の中から借りて使ってしまった酸素を元に戻してやるために、急いで補給しているのです。

このとき血管内では再灌流障害と同じことが起きている。つまり活性酸素が大量に発生している。だから激しい運動ほど急にやめてはいけないのです。セックスが終わったらすぐに背中を向けてグウグウ寝るというのはよくありません。

ベッドから起きて部屋の中を歩きまわるとか、風呂に入るとかしてとにかく動きを急にやめないことが大切です。つまりセックスというものは、終わってすぐに運動をやめてしまうとものすごく体にわるいのです。

理想は終わったあと二人で気功をすることですが、おそらくみなさんにはそれはむずかしいと思われるので、二人で入浴されたらよいと思います。楽しい会話を交わしながら洗いっこでもすれば、運動として生きてきます。

野球のピッチャーでも、登板した翌日は肩が上がらないほど疲労するといいます。しかしこれはフォローがわるいからで、投げ終わったあとで軽いピッチングをやって徐々に血流を落としていけば、それほどひどい疲労感は残らないはずなのです。

セックスの翌日にくたびれるという人も同じです。終わってバタンキューで寝てしまうから、疲労をもち越してしまうのです。他の運動でもそうですが、翌日に残る疲労感が白覚できるのは使った筋肉によってです。だが疲労しているのは使った筋肉ばかりではありません。脳も同じように疲労しています。

体を動かしたとき、とくに激しい運動をしたあとは、どんな場合もスパッとやめてしまわないこと、これが活性酸素の被害を受けないで筋肉を鍛える場合のコツなのです。それができれば体にとっても脳にとっても動いた分だけプラスになって戻ってきます。

ハードな運動は百害あっても一利なし

激しい運動が出てきたついでに、超ハードな運動の功罪についても述べておきます。超ハードな運動とはいわゆる修行のことです。サラリーマンの世界には地獄の特訓などというのがあり、賛否両論をまき起こしていますが、同じようなものにかつて話題になった戸塚ヨットスクールのような例もあります。

また宗教や自己鍛練のための修行。滝に打たれたり、極寒の山中にこもったりするのも超ハードな運動です。運動競技の練習なども、ものすごい運動量でしょう。さらに運動量はそれほどでもないが、心理的にひじょうにつらい修行というのもあります。

それらをひっくるめて超ハードな訓練をした場合、はたしてこれはよいことなのかわるいことなのかという問題です。そのことについてふれる前に私自身の経験をいいますと、幼いころからふつうの人なら絶対に体験しない猛訓練をやらされてきました。

プロローグでもちょっと述べましたが、私の実家は代々東洋医学を業としてきた関係で、家の跡取りには特別な修行を施すことになっていました。一種の帝王学なのでしょうが、まだ五、六歳の子供のことですからずいぶん泣かされました。

たとえば柿の木に一日中しばりつけられたり、夜中に山の中で星を見つめさせられたり、わけもわからずにそういうことをやらされました。滝に打たれるなどは朝飯前で、何度もこれで死んでしまうのかと思うことがありました。

こういう修行はやっているときはつらく苦しくて死ぬ思いですから、はじめはノルアドレナリン、アドレナリンの世界で、活性酸素もたくさん出たと思います。ではなぜそのような危険な修行をやるのかといいますと、これは極限状況に追い込んで、そこで脳内モルヒネを出させる訓練なのです。

極限状況をずっと体験していますと、そのうちに喜びに変わってくる。これは反射的にそうなります。そしてその体験を記憶としてDNA、RNAに叩き込むと、次からはつらい修行でも脳内モルヒネが出て幸福感を感じられるようになるのです。

たとえば断食という修行、これは食欲という本能をおさえつけてしまうのですから、そうとうにつらいものです。私の場合は五、六歳からやらされ、学童期になると一週間の断食などしょっちゅうありました。

水だけは飲めるが、食事はいっさい与えられない。お腹がすいて意識がもうろうとしてきます。そういう状態の中で祖父が耳もとでいろいろささやくと、とても素直な気持ちになって心に染み込んでくる。そのうちすごい幸福感が湧いてくるのです。

ふつうの人はこんな修行はしないでしょうが、私はこれをやらされたおかげで、ずいぶん忍耐力もついたし、根性も植えつけられました。しかし、いま私は他の人にこれをすすめるかというと、けっしてすすめたいとは思いません。

というのは昔は脳内モルヒネのことがわからなかった。わかっていたのは極限状況を乗り越えると、その向こうに不思議な幸福感、快感を覚える世界があるということだけだったと思うのです。

その世界を経験すると、次からは同じ極限状況におかれてもへこたれない、むしろ積極的にそれに取り組む根性が植えつけられる。経験的にそのことを知って、人間の心身を鍛えるためにそれを活用したのだと思います。

この修行のコツをいいますと、自分がやらされているつらい状況をプラスに受け止めることです。これをマイナスに受け止めていたら、ノルアドレナリン、アドレナリンが出て、一方で活性酸素も間違いなく出ます。だからひじょうに危険な方法です。

私の場合もはじめはマイナスに受け止めました。だが私の家の人間は代々この種の修行を積んできているので、私の遺伝子の中にもいくらかその痕跡があったはずなのです。それにきちんとカンどころを知ってコントロールしてくれる祖父がいた。だからうまく乗り越えられたわけで、下手にやったらかえってマイナスの結果にしかならなかったでしょう。

戸塚ヨットスクールの場合は趣旨もわかり、効果も上げられると思いますが、いまいった危険性において賛成しかねるのです。しかし、いまの子供たちは甘やかされ過ぎていますから、その意味では合宿などをしながら、ふだんとは違う粗末な食事、不便な生活を体験させるのはよいかもしれません。

脳が発育している時期にやれば、きっと大きな効果が上げられるはずです。脳のほとんどは十歳までに固まってしまいますから、やるならそれ以前です。三歳、五歳、七歳、十歳が一つの節目になります。中国から伝わってきた風習の七五三というのは、もともとそういう意味あいからはじまったようです。

話が横道にそれてしまいましたが、要するに超ハードな修行にはそれなりの意味があるのは事実ですが、脳内モルヒネのメカニズムがわかった現在では、何も危険のともなう荒療治をしなくても、脳内モルヒネの知識を身につけ、それを応用すればいいのです。船井総研の船井幸雄会長がよくおっしゃる「肯定、感謝、愛、プラス発想」ということを実行すればそれで十分だと思います。

したがって地獄の特訓や運動選手のしごきなどは、いまではあまりすすめられる方法ではありません。よいわるいは別にして、豊かで恵まれた環境で育ってきた人間に、修行指導のノウハウをもたない人間が、いきなり過酷な猛練習を強いるのは害のほうが多くなると思います。

三十代以降はストレッチ体操が理想的

若いうちは過激な運動をしてもいいのですが、それもせいぜい二十五歳くらいまでで、それ以後になったら、過激な運動は益よりも害のほうが大きくなります。そのことをまずしっかりと頭に入れておいてください。

では三十代以後の人間が、筋肉をどうやってつけるかですが、いちばんよいのは体操系統の運動、たとえばストレッチ体操です。この体操はふだん使わない筋肉を使うところに意味があります。

筋肉には筋緊張性繊維というのがあり、これは脳の視床下部というところにつながっています。この筋肉が刺激されると、脳内モルヒネが出ていい気持ちになるのです。運動する人が運動中に幸福感に満たされるのは、この筋肉を使うからなのです。

ここの筋肉をギュッと伸ばしてやると、別の効果もあります。それは骨の中に血流を豊富に流し込めることです。筋肉を伸ばすことで、どうして骨の中に血液を流し込めるか不思議に思われるでしょうが、それは次のように説明できます。

いまここに一本の竹筒があって、表面にいくつか穴があいているとします。その竹筒を濡れたタオルでつつんで、外側からビニールでくるむ。そうしておいて両手でギュッとしぼったとします。水は当然穴から竹筒の中に入っていきます。

筋緊張性繊維を伸ばすというのは、こういうことをしたのと同じ効果があるのです。これは骨の血流を増やして骨の老化を防ぐのに効果的です。骨粗鬆症などにはひじょうに効き目があります。

ストレッチというのは関節を動かしません。関節を動かさないで、できるだけ筋肉の緊張を増していく運動をストレッチというのです。ストレッチはあくまでも運動のウォーミングアップですが、私のところでは十四とおりのメニューを用意しています〈図表11〉。

図表11　ストレッチ体操

1. 無理をせず、自分の柔軟性に合わせて行う
2. 強い反動をつけずに、ゆるやかに行う
3. 実施中には通常の呼吸を心がける
4. “心地よい痛み”を感じるまで伸ばす
5. 20〜30秒間伸ばし続けると、筋肉はリラックスする

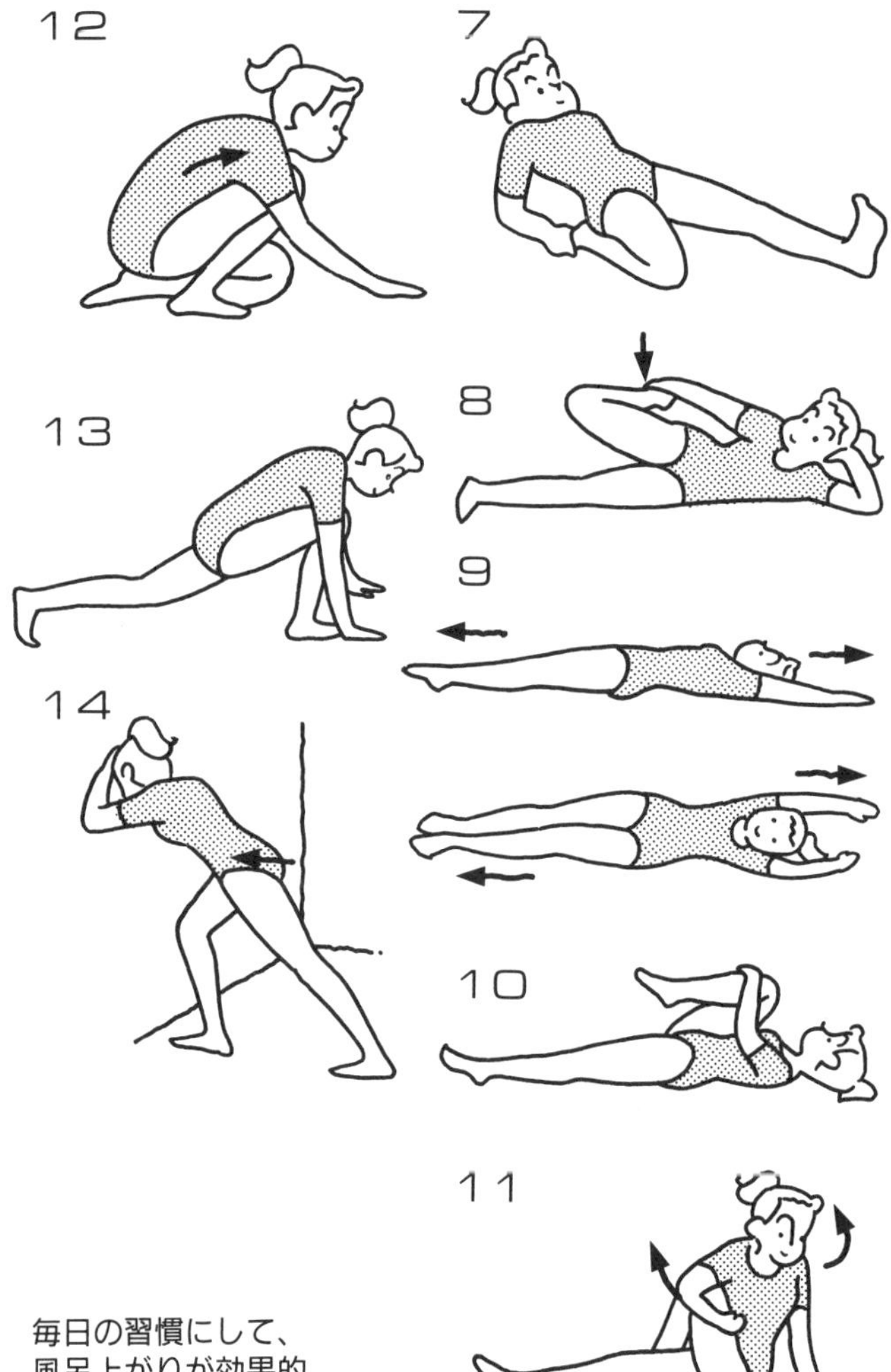

毎日の習慣にして、
風呂上がりが効果的

図表12　年齢から推定される最高心拍数から計算された目標心拍数

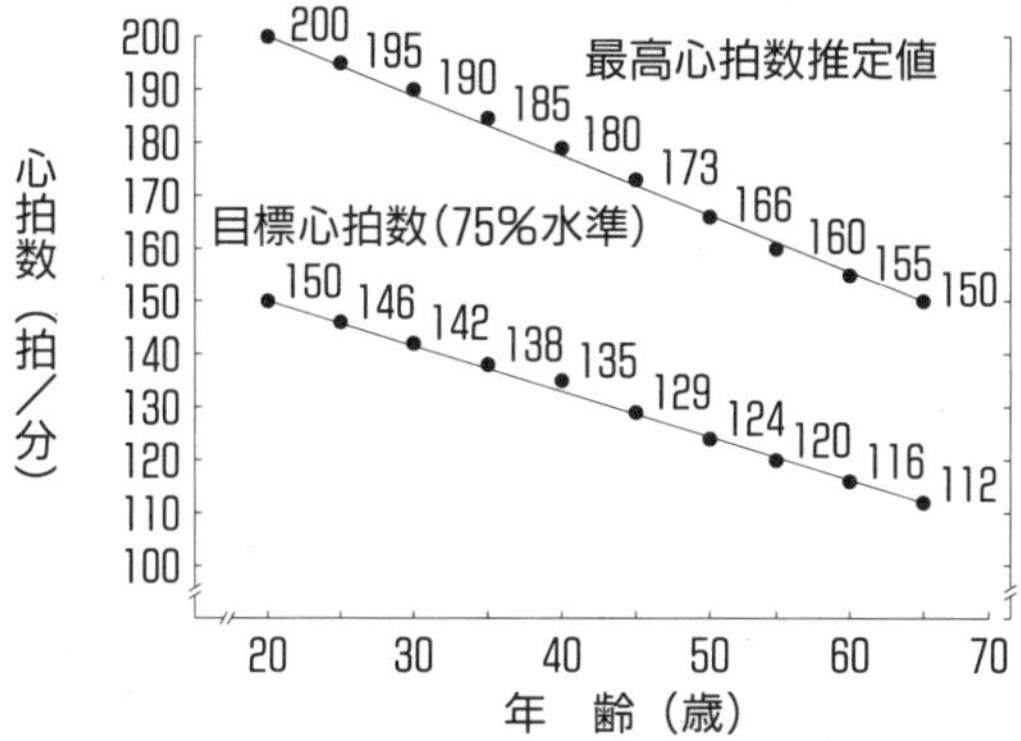

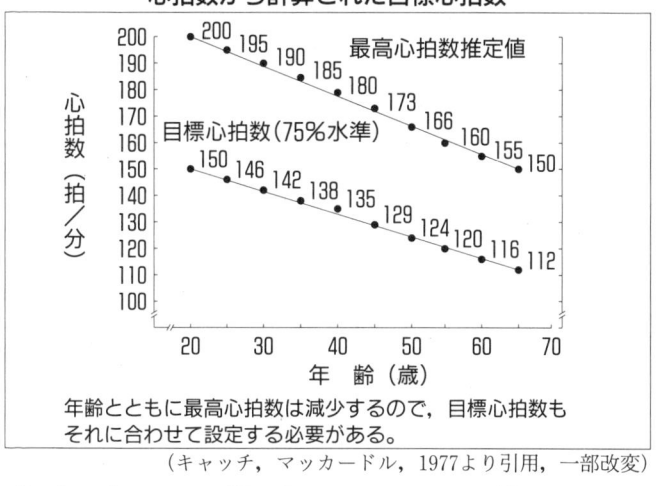

年齢とともに最高心拍数は減少するので，目標心拍数もそれに合わせて設定する必要がある。

（キャッチ，マッカードル，1977より引用，一部改変）

ストレッチは本格的な運動に入るためのウォーミングアップですから、これをひととおり終えたら、いよいよ筋肉を鍛える本格的な運動に入ります。筋肉をつけるためにはパワートレーニングが必要です。

筋肉というのは一定の負荷をかけなければつきません。負荷をかけるのがパワートレーニングです。私のところのパワートレーニングは、いろいろな器具を使っていますが、問題はどれだけの負荷をかけるかです。

これにはおのずと適量があって、負荷がかからなければ効果がない。逆にかかり過ぎれば活性酸素の害のほうが大きくなってしまいます。どれだけ負荷をかけるかには一定の公式があって、年齢、性別などから適量の運動量をはじき出します。

男性の最高心拍数＝二〇九－〇・六九×年齢

女性の最高心拍数＝二〇五－〇・七五×年齢

これによって各々の最高心拍数を算出し、その六〇％から七五％の心拍数を保つような運動をするのが理想です〈図表12〉。

もし負荷をかけ過ぎると、筋肉は増えますが活性酸素の毒でやられてしまうことになります。筋肉をつける目的はあくまで血流をよくし、脂肪の害から逃れるためです。この目的を見失わないようにしなければなりません。

右脳を使う文科系の人が長生きする

運動選手は見るからに頑強そうで、人一倍健康そうに見えます。また鍛えられた筋肉は美しくさえあります。彼らの肉体はハードなトレーニングによってつくられています。しかし、そのトレーニングによって確実に活性酸素の害をこうむっていることを指摘する人はめったにいません。

スポーツ医学をやった人にはわかりますが、彼らは見かけは強そうでも、けっして肉体的に健康とはいえないのです。むしろ不健康だといったほうがよいかもしれません。その証拠に一般の人はけっこうハードな仕事をやりながらも、ちゃんと定年の六十歳まで勤めあげますが、スポーツを職業とする人で六十歳まで現役などという人は見あたりません。

プロ野球も三十歳を過ぎればベテラン、四十代の現役はまれな存在です。マラソンなどは二十代が盛りで、これも四十代は無理です。相撲も二十代中心です。それだけではありません。スポーツ選手は一般人にくらべると、肉体の故障が多く平均寿命も短いのです。

ただ彼らはそれによって名誉やお金を得ているのですから、肉体を痛めることは覚悟のうえだし、それはそれでよいわけです。しかし一般人が彼らのまねをすることは愚の骨頂といわねばなりません。

最近は素人マラソンがはやりで、一般の人もよく走っていますが、好きで体の犠牲も厭わないというのならけっこうですが、もし健康のために、というのなら「おやめなさい」と忠告します。素人のマラソンは百害あって一利なしです。

女性のマラソン選手などは、それで青春を燃焼し、一つの人生をかたちづくる意味では、それなりの選択肢ではありますが、ふつうの意味での女の幸福はむずかしいはずです。な

図表13　運動と寿命の関係

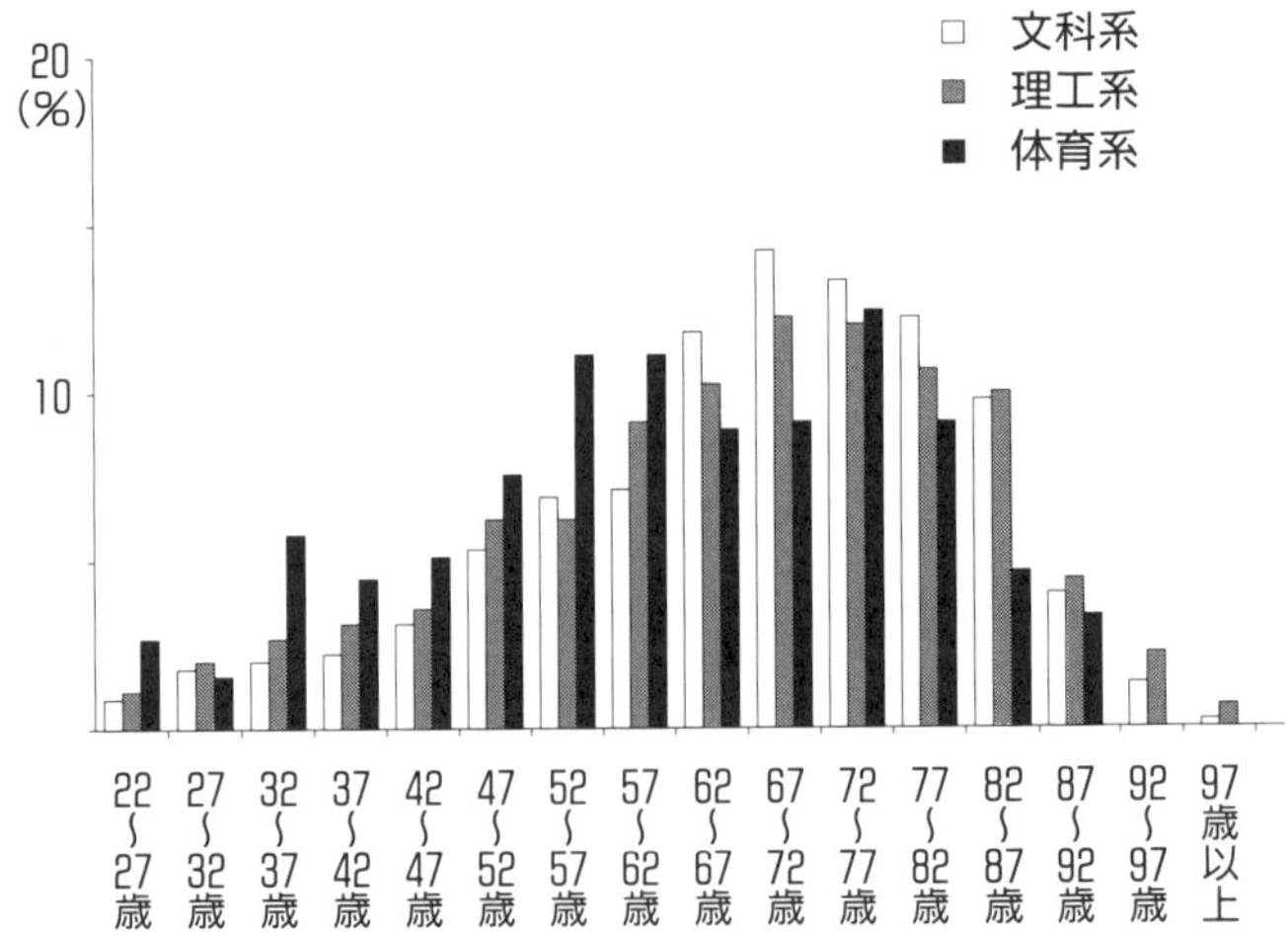

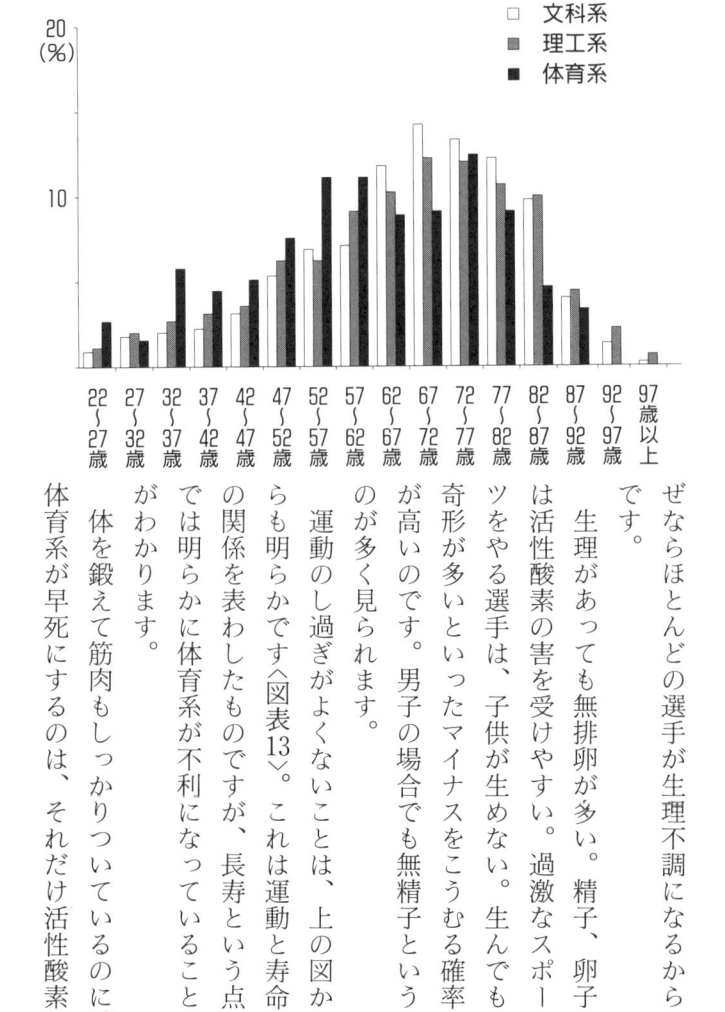

ぜならほとんどの選手が生理不調になるからです。

生理があっても無排卵が多い。精子、卵子は活性酸素の害を受けやすい。過激なスポーツをやる選手は、子供が生めない。生んでも奇形が多いといったマイナスをこうむる確率が高いのです。男子の場合でも無精子というのが多く見られます。

運動のし過ぎがよくないことは、上の図からも明らかです〈図表13〉。これは運動と寿命の関係を表わしたものですが、長寿という点では明らかに体育系が不利になっていることがわかります。

体を鍛えて筋肉もしっかりついているのに、体育系が早死にするのは、それだけ活性酸素の被害が大きいということです。文科系と理科系では文科系のほうがやや長生きしていますが、これは理科系が論理計算などで左脳を使うことが多いためと思われます。

脳内モルヒネは右脳優位で出てくるものですから、右脳を使うことが多い文科系がいちばん長生きしている。長生きするには筋肉をつくらなければだめですが、使い過ぎるのもまただめだということです。

筋肉をつける運動と脂肪を燃やす運動

やせたいという願望は、最近は男女を問わずに強いようです。肥満が成人病のもとであることを考えれば、これはよい傾向なのですが、一つ大きな誤解があるようです。これは「運動で脂肪を減らせる」と素朴に信じていることです。

だが誤解のないようにいっておけば、パワートレーニングをしても、脂肪はほとんど燃えません。脂肪が燃えるのは、ゆるやかな運動をしたときだということです。つまり筋肉の動かし方には二とおりあるのです。

一つは筋肉をつける運動、もう一つは脂肪を燃やす運動、これはまったく種類が違うのです。筋肉をつける運動がパワートレーニングです。重いバーベルを上げたりするのがそれです。

これに対しジョギング、ウォーキングのように、運動としては軽いが長い時間をかける運動が脂肪を燃やす運動です。なぜ激しい運動では脂肪が燃えないのか。理屈は簡単なことです。脂肪が燃えるためには酸素がたっぷり必要なのですが、激しい運動では、運動のために酸素が動員されてしまっているので、脂肪が燃えようがないのです。

したがって百メートルの全力疾走では脂肪はいっさい燃えません。だから肥満防止が目的ならば、つらい運動などはあまりやり過ぎないことです。そんなことをしても効果がないばかりか、活性酸素の害を引き出すだけです。

いい呼吸をしながら、楽な運動を長時間やると、酸素がたっぷり供給され、脂肪はどんどん燃えてくれます。脂肪を燃やす運動として最適なのはウォーキングです。私の病院ではマンツーマンで小一時間やってもらいます。これでずいぶん効果を上げています。

ゆるやかな運動は脳内モルヒネも分泌させます。これが運動そのものを心地よいものにしてくれる。食事をしてから少し休憩して、それからウォーキングをすると、多少の食べ過ぎであっても、脂肪はどんどん燃えてくれます。

なおウォーキングの量は一日トータルで一万三千歩が目安です。日常的にも歩きますから、ウォーキングでは八千歩から一万歩でよい場合もあります。これは個々のライフスタイルから計算してみてください。

トータル一万三千歩というのは、アメリカの病院で障害を起こした患者にウォーキングをさせたとき、一万歩では再発事例が出たが、一万三千歩では出なかったことから、一日の目安がこの線ではないかといわれていることが根拠になっています。

問題はゆるやかな運動が、現実的にはなかなかこまめにできないことです。よいとわかっていても、なかなかできない。私の病院では患者さんに怠けずに続けてもらうために、相手をする人間をつけているのです。

人は自分のためだけだと、なかなかよいとわかっていることでもできない。しかし人が見ているとか、人が喜んでくれる、人のためになると思うと、そのことじたいが快感なので一生懸命にやるようになるのです。

運動は基本的に活性酸素を大量に発生させます。統計的に見ると、運動をたくさんする人は早死にしている。といって運動は脂肪の毒にやられないためにはどうしても必要なのです。そこで筋肉が足りないなら、まずストレッチで筋肉をほぐし、それからパワートレーニングをする。そしてさらにゆるやかな運動を小一時間やって脂肪を燃やす。ここまでやれば、余分な脂肪はなくなり、血液の循環がよくなって成人病と無縁でいられることになります。

肥満度もコレステロール値も下がる

もう一つ成人病予防に大きな効果を上げるのが瞑想です。瞑想は気功と並んで東洋医学の重要な要素ですが、これはちょっと信じられないような効果を発揮しています。私の病院では入院された患者さんには、それがどんな病気であれ、運動と瞑想をやってもらっています。

これに食事療法を加え、あとメディカルマッサージを適宜加えると、成人病も劇的な改善を見せることがあります。以下にこれらの療法によって改善をみた実例をいくつか紹介してみることにします。なお瞑想に関しての効果の度合いは、脳波測定装置によってα波の出方で見ています。

症例一。この五十八歳の女性は医学的診断では高脂血症とうつ病と判断されました。肥満度はプラス二五%、かなり高い肥満率です。また総コレステロール値二七五とこれも高い数値でした（正常値一二〇～二二〇）。

症状は不眠と脅迫観念。これといった原因がないのに、自分がいつも追いかけられているような不安、焦燥感にかられ、よく眠れないと訴えていました。行なった治療は食事療法、運動療法、瞑想の三つで、ときどきメディカル・マッサージも加えました。

その結果は以下のとおりです。肥満度は三・五%まで下がりました。これは正常値の範囲内です（正常値はプラスマイナス一〇%）。総コレステロール値も二一五まで下がりました。二二〇を切れば正常値です。

よく効いたのは瞑想でした。この女性はひじょうに花が好きで、花を見ると顔つきが別人のようになる。それで花がいっぱい映っているイメージビデオを見てもらい、花のイメージング訓練をしてから瞑想室で瞑想をしてもらいました。

何度か繰り返すうちに自分からすすんで花のイメージングができるようになり、α波がどんどん出てくるようになりました。心の状態がよいかどうかはα波で判定するのがいちばんよくわかるのです。

その方法は図のようなかたちで計ります〈図表14〉。まずα波が五〇%以上出たところで

図表14　治療前と治療後の α 波の変化

症例1　高脂血症

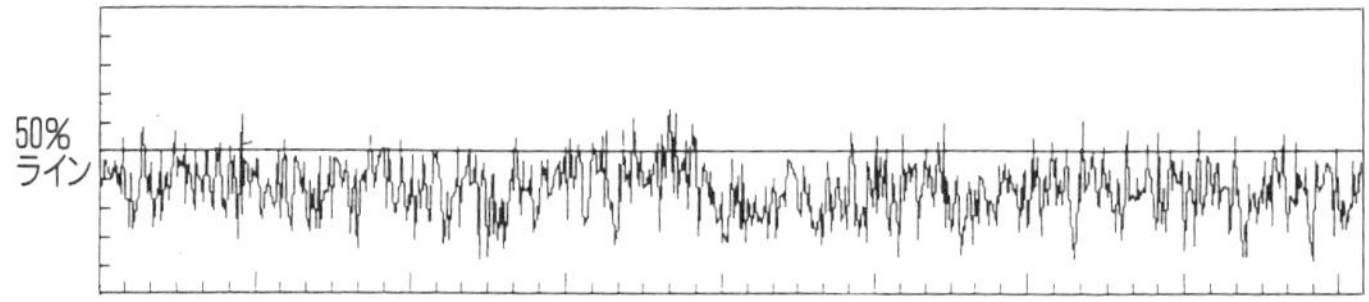

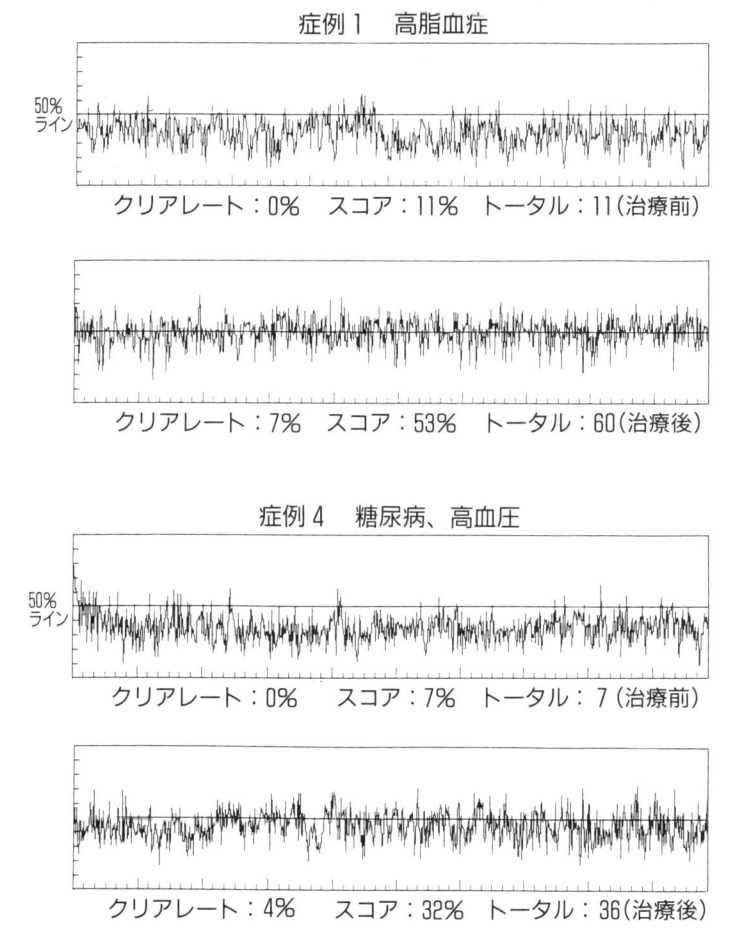

クリアレート：0%　スコア：11%　トータル：11（治療前）

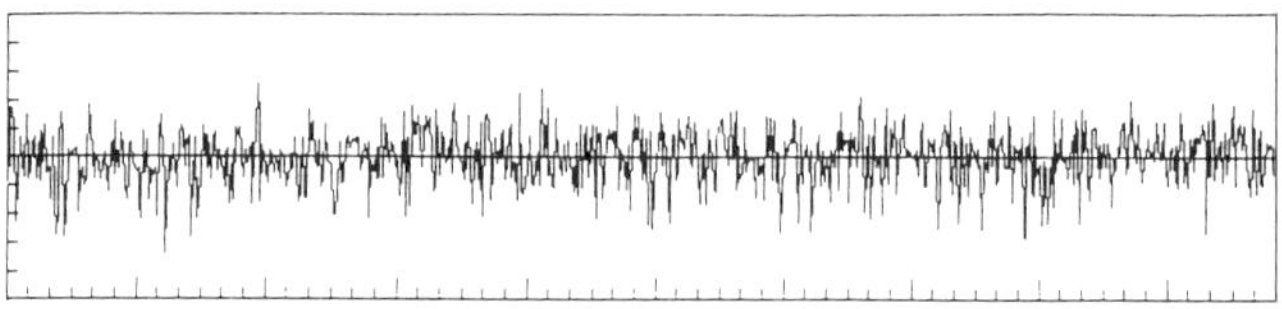

クリアレート：7%　スコア：53%　トータル：60（治療後）

症例4　糖尿病、高血圧

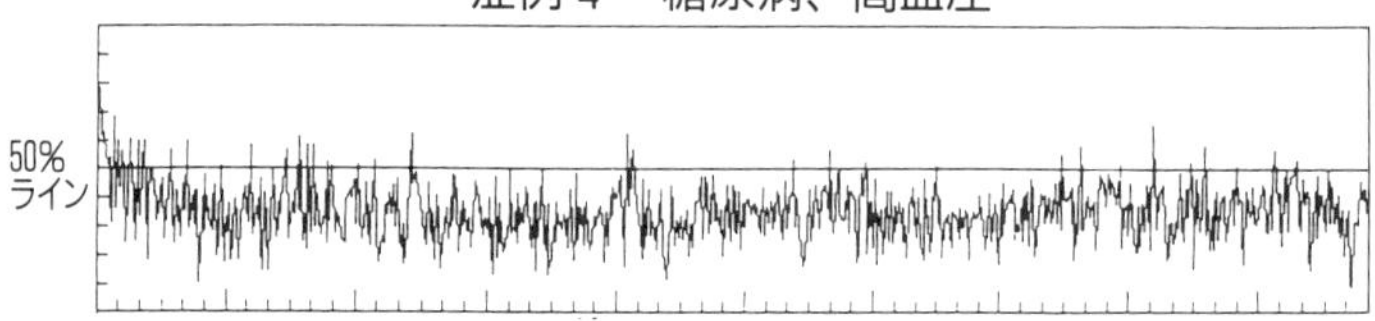

クリアレート：0%　スコア：7%　トータル：7（治療前）

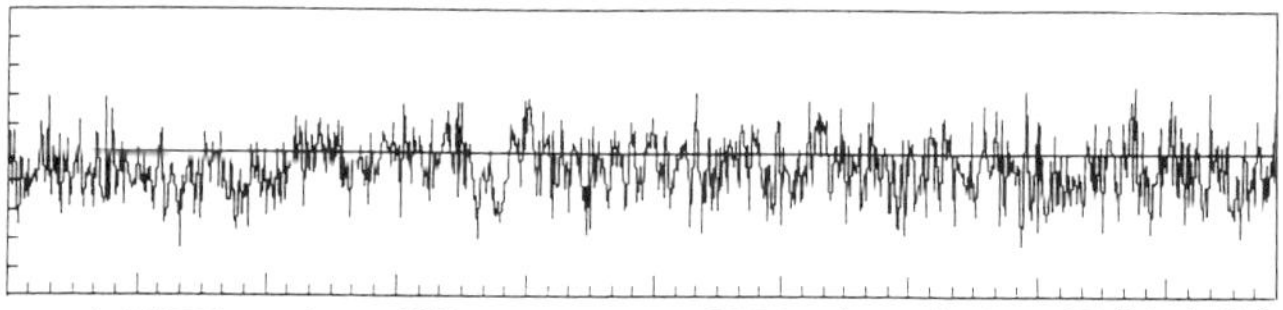

クリアレート：4%　スコア：32%　トータル：36（治療後）

一点と数えて、これをスコアと呼びます。次に全体の面積に対してα波だけがどれだけ占めたかを計算して、これをクリアレートとします。その両方の点数を足したものをトータルとして出すのです。

満点は一〇〇点ですが、この人の場合は最初一一点しかなかったのが六〇点まで増えました。一一点というのはかなりの病気ゾーンの数字です。健康のもとである脳内モルヒネがほとんど分泌されていない状態です。

いつも気分がうつ状態にあって、これといった原因はないのに「自分は世の中でいちばん不幸な人間だ」と思っている。要するにプラス発想ができないのです。昼間はうとうとしていて夜は眠れない。

妄想が現われ、幻聴が聞こえたりで、このままほうっておけば、本物の精神病になる可能性がありました。うつ病というのはほとんど一日寝ていることが多いのです。この人は、ドーパミンという意欲をもたらすホルモンがほとんど枯渇して出ないのです。

これをパーキンソン病といいます。パーキンソン病の反対はドーパミンが異常に出過ぎる場合で、これが分裂症と呼ばれます。薬物では目先の症状改善はあっても、なかなか根本的な治療はむずかしい。この人は瞑想と食事と運動で、ひじょうによいかたちになりました。

症状は肉体に現われていますが、典型的な心の病いなのです。心身症と呼ばれるものですが、いまは心の病いも脳の物質で判断できます。脳内モルヒネと反対の役目をするギャバという物質が増えていました。

私が治療として行なったことは、脳内モルヒネをどんどん出させることです。それが体全体におよんでくればこの種の病気も好転するのです。脳の意識革命ができれば、どの人でもすごくよい結果が出る。ただ現代の医者はこういう話をあまり受けつけようとはしません。

瞑想は上達してくると、頭の中を空っぽにできます。本来それが瞑想状態なのです。しかしよほどの訓練をしないと、そう簡単にはできません。頭を空っぽにしようとすると雑念ばかりが出てきて、とても空っぽどころではないのがふつうです。

そこで、以上述べた症例のケースでは、空っぽの前段階として自分の好きなこと、楽しいことを徹底してイメージしてもらったのです。そうすれば脳内モルヒネが出て、とてもいい気分になってくる。少なくとも好きなイメージで雑念を消すことはできます。

雑念の出てくる余地をなくしておけば、やがて本当の瞑想の領域に達することができるようになります。そこまでいかなくても、脳内モルヒネのはたらきで、心身ともにあらゆる箇所が好転し自然治癒力が高まるのです。

好きなことを想像すればα波が出る

症例二。四十六歳の女性です。この人はまだ若いのですが、肝機能がメチャクチャでした。太っていないのに高脂血症とそれによる脂肪肝があるのです。やせているのに筋肉が少なくて脂肪が多い。いちばん長生きできないタイプでガンにもなりやすい体質です。

この人の治療も前の人とまったく同じです。総コレステロール値は二七三ありましたが、四週間の通院で二〇七まで下がりました。肝機能のほうは、肝機能を表わす酵素量のGOT・GPTが七七と八八でした。こちらは三二と三四にまで下がり、また肝障害を表わす酵素量のγ（ガンマ）―GTPは三二五あったのが一一三になりました。

彼女は犬が大好きで、犬の話さえしていれば幸せになれる。自分で飼っていたので、犬と一緒に通ってもらい、いろいろ犬の話をしたのです。この女性の場合は犬の話をすれば脳内モルヒネが確実に出るのです。

朝、犬をつれて散歩してもらって、その様子をいろいろ聞きました。きょうは自分の犬がどうした、こうしたと話してから瞑想室へ入ってもらいました。しかし、瞑想室はいわばどのくらいよくなったか、その状態を知るためのもので、この人の場合は朝の犬の散歩そのものが治療になったのです。

症例三。糖尿病と高血圧の六十三歳の男性の例です。この人は空腹時の血糖値が二七三と高く、入院して治療をしました。入院時はひじょうに状態がわるく、意識もうろうの様子だったので、最初はインシュリン注射を継続しました。

以後は飲み薬に代えて、インシュリン注射はやめたのです。二七三の血糖値がインシュリンで一二六まで落ちた時点で運動療法と瞑想をはじめました。昔、航空会社に勤めていた人で、飛行機が大好きでしたが、飛行機の話になるとどうしても仕事を思い出すので「鳥になったつもりで空を飛んでください」とアドバイスしました。

目をつむって自由に大空を飛んでもらうイメージトレーニングです。飛行機の経験がありますから、「富士山が見える」とか「天気がよくて気持ちがいい」とけっこううまくいき、瞑想室に何度か入っているうちに、薬も注射もいらなくなったのです。血糖値はインシュリンも中止した状態で一一〇以下を保ち、最高血圧も一七〇～一八〇台を示していたものが投薬なしで一四〇～一五〇台を示すようになりました。

症例四。同じく糖尿病のある四十三歳の男性です。糖尿は遺伝性のもので、痛風の気もありました。尿酸値は九・七と高いほうです。本人は気にしてジョギングをずっとやっていたらしいのですが、事故で膝にケガをして運動ができなくなったのが、症状悪化の原因だったようです。

最初はインシュリンを使いました。それから食事療法と運動と瞑想をやってひじょうによいα波が出るようになりました。この人には趣味のジョギングを瞑想の準備に使いました。そのときは膝がわるくてできなくなっていたのですが、自分がトレーニングしている姿をイメージしてもらったら、よい脳波が出るようになったのです。

かなりストレスがたまっていたらしく、暗い場所がだめで寝るときも電気をつけたままという暮らしだったようですが、治療以来、生活スタイルが改善されて、健康状態もよくなりました。治療の結果、二〇〇以上もあった血糖値も投薬なしで一五〇以下を保ち、尿酸値も八・〇以下を保っています。

瞑想には特別な型はありません。私の瞑想室では椅子にゆったり横になってもらって、頭にヘルメットをかぶり、脳波状態を測定できるようになっています。訓練中にα波が五〇％以上出るようになると、リンリンと虫の声が鳴って知らせる。自分がいまどの脳波状態にあるかがわかるので、どういう気持ちになればよい脳波が出るか、自分なりに体得できるようになります。

東洋医学は気持ちをよくする医学

私の病院では「瞑想」と「運動」と「食事」の三つが主な治療内容なのですが、もう一つ独自のメディカル・マッサージがあります。これは東洋医学の〈もみ〉と西洋医学の長所を組み合わせて私が独自に開発したものです。以下にその概要を記してみます。

これまで述べてきたように、成人病の原因の大半は血管の老化と目詰まりにあると考えられます。血管が弱くなり内部に目詰まりが起きると、心臓病、脳卒中、狭心症、ガン、痛風、高脂血症など、さまざまな障害が生じてきます。

血液がサラサラと流れていれば、成人病は起きにくい。筋肉をつけるのも脂肪を燃やす努力も、瞑想で脳波をととのえるのも、血流をサラサラと流すことが大きな狙いになっているわけです。

東洋医学は伝統的に、この血液をサラサラと流すことを得意にしてきました。それが指圧療法であり、気功と呼ばれる健康法です。特に深呼吸と体操によって体内の気と血のめぐりをよくする気功は、成人病予防にきわめて効果的です。

気功はたんなる呼吸法や練習法ではないのです。心理療法と考える人もいますが、それだけではありません。

気功は全身のリラクセーション法、入静法といった内向的なやり方で心身を鍛錬する方法であり、自己調節によってきわめて自然な調整ができるようになり、本来あるべき天人合一（人と天が一体化すること）の状態を回復させるものです。

人体の潜在能力を引き出し、生命の奥義をさぐる実践手段でもあります。また脳内物質の面からみれば、気功によって生じる主力物質は脳内モルヒネだと思われます。

ところで胃ガンは、正常な胃がストレスやアルコールによって炎症を起こしているところに、なんらかの発ガン物質が化学反応をし、活性酸素が発生して特定の遺伝子を傷つけたときに発ガンすると考えられています。そもそも炎症とは血がサラサラと流れなくなっている状態ですから、これを改善してやればガンになる確率はグッと低くなるのです。

メディカル・マッサージは東洋医学の指圧療法が基本ですが、現代医学の検査方法を用いて、血の流れぐあいや鬱血個所を的確にとらえて行なっています。人間には左右対称に三十一対の脊髄神経があり、この神経は全身の末梢神経へと広がっています。体のどこかに異常があれば、それがどんな末梢部分であっても、脊髄神経から脳へとつながっているのです。

人体には三百六十五カ所のツボ（経穴）があり、東洋医学ではそのツボを連絡する神経の大動脈を経絡といっています。各臓器のツボの場所は決まっているので、このツボを刺激することによって、特定の臓器の血の流れをよくすることができるのです。

さらにこのツボは、脳の上行網様賦活系という神経系を経由して脳内のエー・テン神経と連絡をとっていますので、ツボを刺激すれば脳内モルヒネの分泌を促します。

病気でなくてもマッサージをしてもらいたがる人がいますが、本当はそのほうがよいのです。マッサージをすると脳内モルヒネが出て血行もよくなり、体のわるいところは自然に治ってしまう。病気になりかかっている、つまり「未病」の段階で健康体に戻す東洋医学の考え方そのものといえます。

東洋医学では古くから、特定のツボに鍼を打つことで鎮痛効果が得られることを知っていました。鍼を打てば麻酔薬なしでも外科手術ができる。なぜなのかは長い間ナゾでしたが、それが実は脳内モルヒネのおかげだったのです。

極端な言い方をすれば、東洋医学で行なっている鍼灸および指圧によるツボ刺激の薬理学的最終物質は、脳内モルヒネであるといってもよい。しかも脳内モルヒネはエー・テン神経系を刺激するが、この神経系は人の創造力、意識、意欲、記憶、感情を支配しているため、これらの機能を高めるはたらきをするのです。

東洋医学は気持ちのよくなる医学です。気持ちがよくなり、ストレスがとれる、記憶がよくなる、免疫力が上がる、創造力も出てくる、リラックスもできる、炎症も治る。これらはみなつながっていると考えるのが東洋医学のやり方なのです。

メディカル・マッサージは、はじめる前にMRIなど先端医療機器を使って、血管の目詰まりの状態を検査したり、内視鏡で胃の組織検査をするなどして、さまざまなデータを集め、これを分析してその人にふさわしいメニューをつくってから行なっています。これは東洋医学と西洋医学の結合ならではの療法といえます。

やり方は足のツボの刺激から入って、ふくらはぎ、大腿筋、それから背中のツボへと、遠いところからだんだん中枢へ上がって最後は首で終わります。一回に約二時間かけます。顔のツボのマッサージもやります。顔というのはツボの固まりで、これだけでもホルモンの出がとてもよくなります。

肩がこったとき、さわってみると固くてコリコリしています。東洋医学では「邪気がたまっている」というのですが、西洋医学の言葉で説明すれば、コリコリするのは乳酸がたまっているのです。邪気の正体は乳酸とかその他もろもろの不完全燃焼した物質が閉じ込められて出ていけない状態のことなのです。

血管が収縮すると血が入ってこないし出ていけない。酸素が足りなくなって不完全燃焼が起きます。不完全燃焼は強力な酸性物質を発生させ、また血管を収縮させる。こういう悪循環が引き金になって成人病がはじまる。メディカル・マッサージはそれを未然に防ぐことができるのです。

病気になる前に治療をするのが役目

東洋医学は脳内モルヒネを出す医学ですが、その指標として使えるのが脳波です。脳波がα波になれば脳内モルヒネが出ます。しかし現実の生活では脳波をα波にできる機会に恵まれない人もたくさんいます。

そういう人のために脳波をα波にできる機械があります。この機械を使うとストレスがとれるのです。脳波をα波にすると脳内モルヒネが出てきてストレスをとってしまう。本来は瞑想や気功でとるほうがよいのですが、機会がないからといってとらないでいるよりは、機械であれ、なんであってもストレスをとったほうが健康のためには有益なのです。

現代人はたえずストレスにさらされて生きています。それぞれの解消法を生活の中から見つけてがんばっているわけですが、ストレスには自覚できないものがあります。長い時間をかけてチリのように堆積してくるストレスは、自分でもなかなか気がつかないものです。

自分は体のどこもわるくない。健康診断をしても何もいわれない。だから健康なのだ。そう思っているかもしれませんが、健康というものは医療検査の数値からだけではなかなか判断できないものなのです。

世界保健機関、つまりＷＨＯには有名な健康の定義があります。それによれば健康とは「身体的、精神的、社会的に安寧な状態にあることであり、ただたんに疾病または病弱でないという状態ではない」と書かれています。

まったくそのとおりだと思います。私が診察する人の中には社会的にひじょうに成功した人もおられ、そういう方はまず社会的には申し分ありません。また診察してみると、身体的にもとくに病気の兆候がみられない人もおります。

すべてに意欲満々で、精神的にもとりあえず問題は見あたらない。病院になんか来る必要のない人なのです。こういう人たちが病院へ来る動機は健康診断などでの検査ですが、ここでもいまの医療のあり方でいえば「あなたは健康そのものです」と太鼓判を捺して帰してしまうのです。

ところがそんなふうに一見健康に見える人でも、いろいろな話をしてみると、「これから先に病気になるのではないか」と思われる要素がポロポロ出てくるのです。たとえばものすごい闘争人間だったり、攻撃人間であったり、ペシミストであったりするわけです。

いまはまだ病気にはなっていないけれども、このままだったら近い将来は成人病になる可能性が大きい。そういう人を前にすると、脳内モルヒネの話をして「発想を変えたらどうでしょうか」と私はついついいってしまうのです。

よけいなおせっかいのようですが、どこもわるくないのにまもなく病気になるか、短命に終わる危険をもっていると感じられる人は少なくありません。そういう判断はほとんど当たります。メディカル・マッサージをやっていると、体をさわっただけで「ちょっとおかしい」とわかることもあります。

ふつう病院というところは病気になった人が来るところです。私は医者ですから、いつも病人とつきあっています。しかしいつも「どこかヘンだ」という思いがぬぐえません。私が祖父から教わったのは「病人が来たら手をついて謝れ」ということでした。

東洋医学の医者は病人をつくらないためにいる。未病のときに治療をして病人にしないのが役目である。だから病人が目の前に現われたら、それは自分たちの失敗であるという考え方をしているのです。

前にもちょっとふれましたが、本人はまったく病気の自覚がなくて「やせたい」といって入院し、病気をすっかり治して退院していった青年。こういう例がこれからの医療の一つの好ましい姿だと思うのです。

これは何も東洋医学にかぎりません。これからは東洋、西洋の垣根をとっぱらって「人を病気にさせない医療」をやっていかねばなりません。私の病院でやっていることはまさにそれで、けっして東洋医学だけにこりかたまっているわけではないのです。

その証拠といってはなんですが、この青年の医療データを以下にかかげておきます。西洋医学と東洋医学が組み合わさった医療がどんなものかを、これによって理解していただけるのではないでしょうか。典型的な例ですので、詳しく表を紹介しておきます〈図表15～20〉。

この青年は身長一七三センチ、体重は入院時一〇三キロ。年齢は二十八歳です。結婚を間近に控えて、婚約者からやせてほしいといわれて入ってきました。本人は健康そのもので、ただの太り過ぎと思っていましたが、診断してみると、病気をいくつか抱えていたわけです。

私の病院で行なった治療は図に示したとおり、カロリー制限と筋肉トレーニングが中心です。すなわち、栄養士による食事治療と、朝夕二回のウォーキング・マシンやカーディオバイク（運動負荷用自転車）による運動処方をこなし、瞑想を付加しました。これを約四十日間続けてもらいました。その結果がどうだったかは、入退院時の両方のデータを見ていただければわかるはずです。

入院時はすでに危険な病気ゾーンに入っていました。このままいけば成人病は間違いない。三十代か四十代で相当な成人病を抱えるのは必至の状況でした。これから結婚するのですから数年後には子供ができるでしょう。その子が小学校へ上がるころにお父さんは病気で長期入院では、若い奥さんもたまらないでしょう。

図表15　食事と運動による病気の改善例

症例
T.N　28歳　男性
病名　病的肥満・脂肪肝による高度肝機能低下・高脂血症
経過　入院当日　173センチ　103キロ
・筋肉トレーニング開始（5種類を約50回ずつ）
・栄養指導後、1,800kcalで食事療法開始
4日目〜　筋肉トレーニング＋カーディオバイクへ変更（消費カロリー約50kcal）
9日目〜　1,600kcalに食事変更
15日目〜　カーディオバイク（消費カロリー約80kcal）
23日目〜　カーディオバイク（消費カロリー約110〜150kcal）
50日目　軽快退院

図表16　改善による各値の変化

	入院時	退院時	正常値
体重	103 キロ	88.6 キロ	（14.4キロ減）
体脂肪率	38.0	32.7	14〜 23
GOT	48	36	38　以下
GPT	141	71	38　以下
γ−GTP	162	55	0〜 52
LAP	115	71	30〜 70
総コレステロール	240	196	120〜220
β−リポタンパク	844	492	150〜500
中性脂肪	471	97	35〜135
尿酸	8.6	7.0	3.5〜7.9

図表17　体重

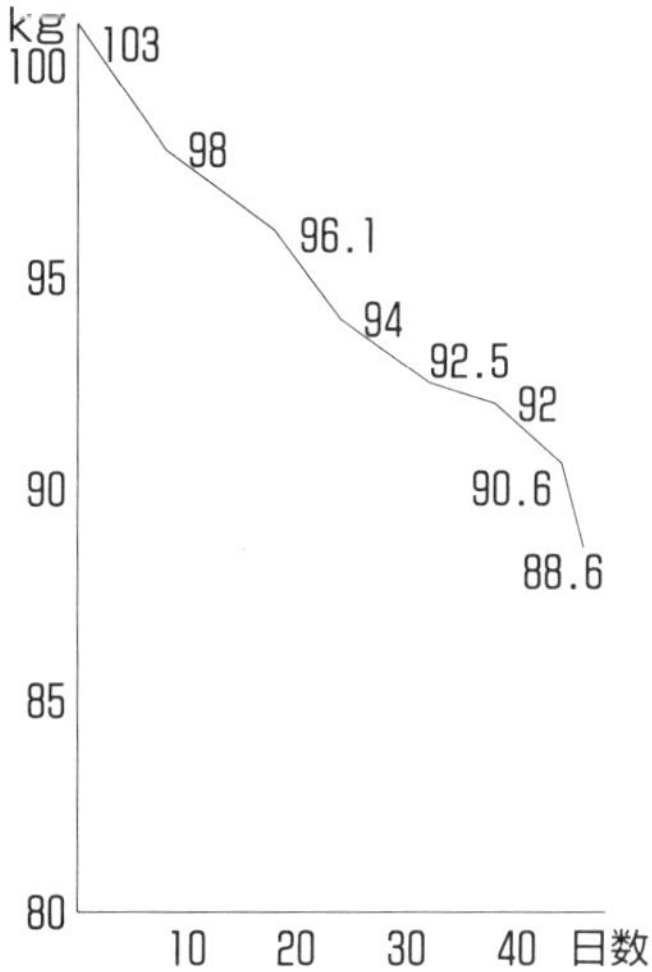

図表18　GPT

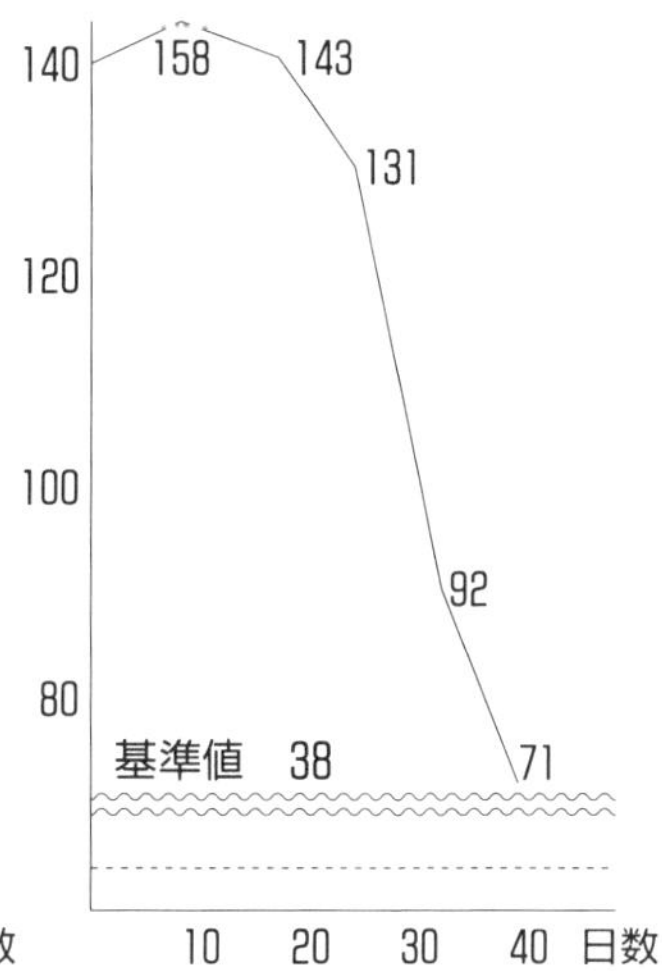

図表19　総コレステロール

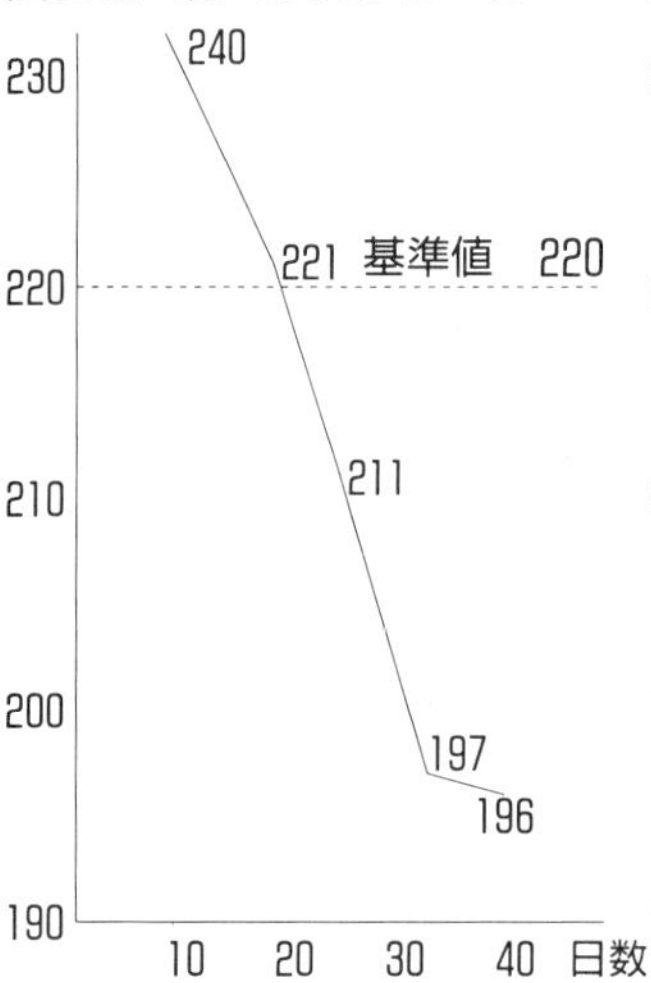

図表20　中性脂肪

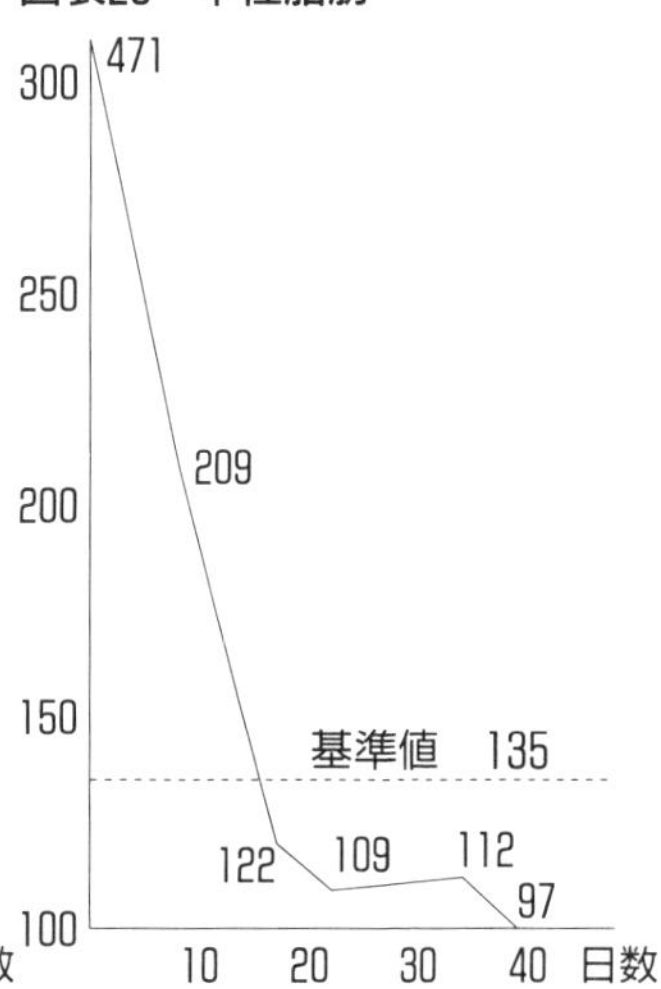

これはこちらの勝手な想像で、本人はそんなことを知りません。だがその可能性はひじょうに高いのです。そういう人間が一日一八〇〇～一六〇〇キロカロリーの食事療法と筋力トレーニングで体重を十五キロ減らし、他の数値もほぼ正常値に戻ったのです。

本人は病気を抱えていたことも、それが治ったことも知らないで、ただやせてすっきりとしたと喜んで退院していきました。本当をいえば一五キロ減くらいのダイエットは不満足でした。私のところでは二〇キロ減くらいは簡単なのです。ただ他の数値とのかねあいで体重を急激に落とすのを控えただけです。

ふつうの人だったら入院する必要はありません。この青年は結婚を控えて急いでいたから入院したので、時間があるなら自宅でも、同じような結果を出すことができたでしょう。大切なのはいまの自分がどんな健康状態にあるかです。

こればかりは検査するしかありませんが、健康状態がわかれば「あなたはいまのライフスタイルなら何年先にこんな病気になります」と教えてあげられます。「病気にならないためにはこういうことをしなさい」と生活指導もできます。

それを守ってもらえば、ほとんどの病気は防げる。どうしても防げなかったらまた病院へ来ればいいのです。私はいまの病気中心の医療ではなく、体を鍛え若さと美しさを保てる施設と医療施設は一体化しなくてはいけないと思っています。

α波が出る瞑想は、どうすればいいのか

いままで紹介した私の病院の治療法から、瞑想が大きくウェイトを占めていることがおわかりになったはずです。本当のことをいえば瞑想こそが東洋医学の中心思想であり、これができれば、脳内モルヒネもα波も筋肉も血管も、すべてが解決してしまう。瞑想の効力はそれくらいすごいものなのです。

では瞑想とは何か。これまでの説明であるていどの理解はされたと思いますが、世間一般では禅やヨガなどとくっついた瞑想を本当の瞑想と思っているようです。だが東洋医学でいう瞑想とは、それほど型にはまったものではなく、まして「頭を空にする」というむずかしいものでもありません。

自分が「気持ちがいい」と感じることを思い浮かべるのも瞑想なのです。たとえば高齢の方でしたら自分のお孫さんのことを考えたり、自分の最愛の人について考えるのも瞑想のうちです。

図表21　α波は人の心に安らぎを与える“1/fゆらぎ”

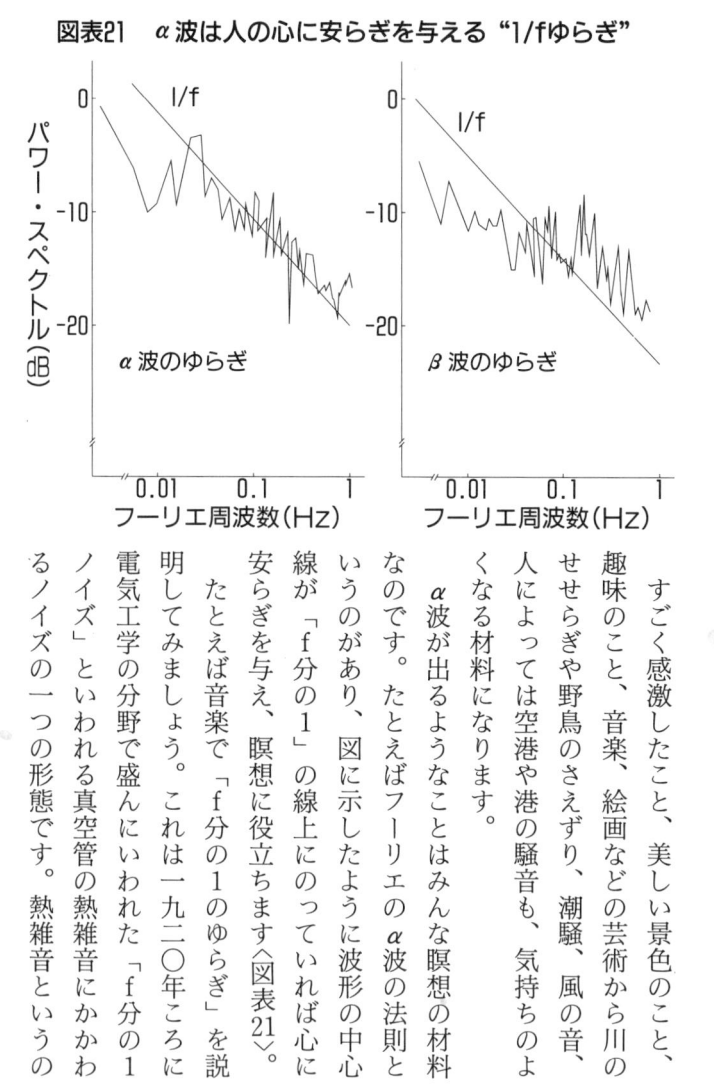

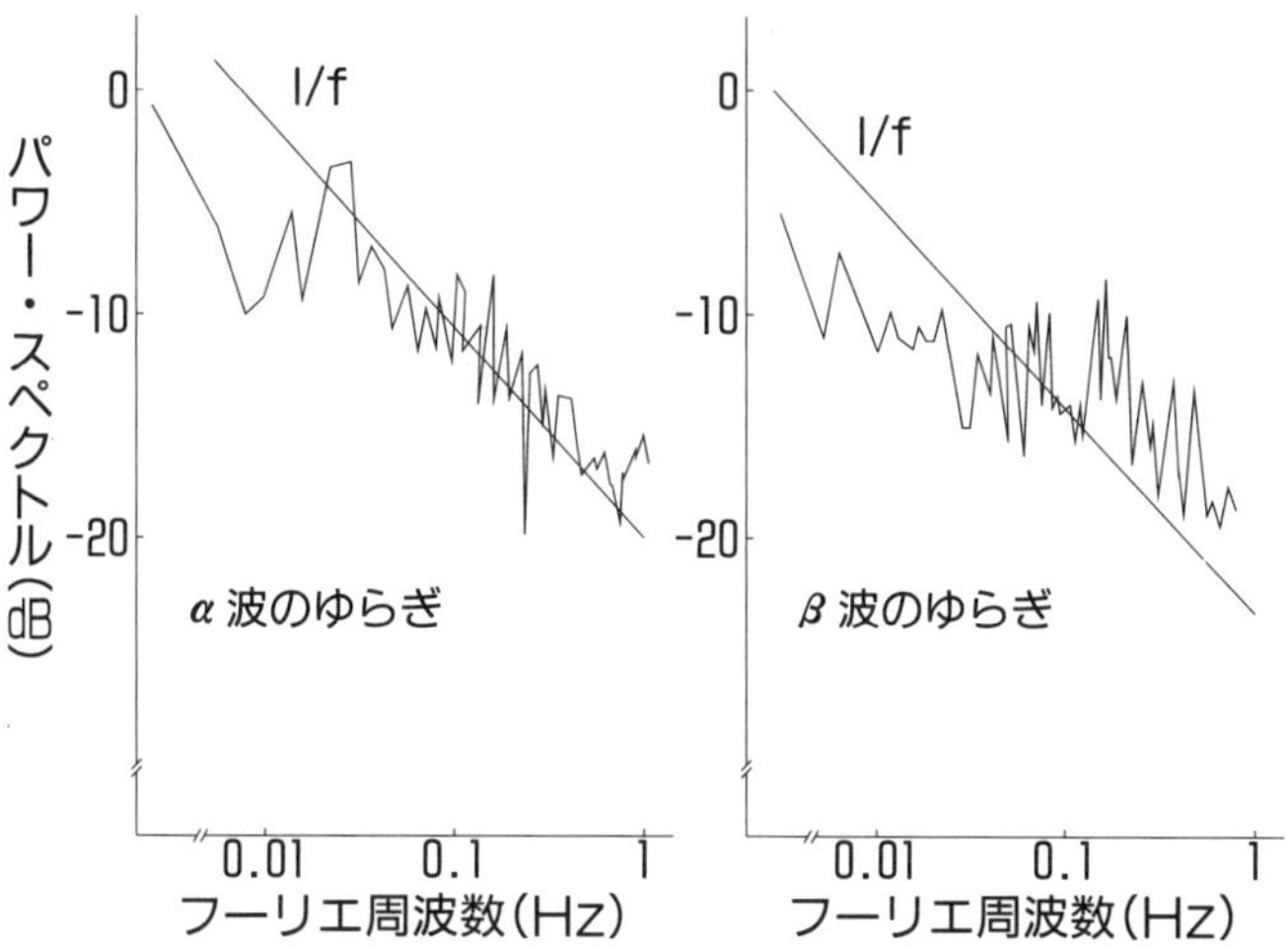

すごく感激したこと、美しい景色のこと、趣味のこと、音楽、絵画などの芸術から川のせせらぎや野鳥のさえずり、潮騒、風の音、人によっては空港や港の騒音も、気持ちのよくなる材料になります。

α波が出るようなことはみんな瞑想の材料なのです。たとえばフーリエのα波の法則というのがあり、図に示したように波形の中心線が「f分の1」の線上にのっていれば心に安らぎを与え、瞑想に役立ちます〈図表21〉。

たとえば音楽で「f分の1のゆらぎ」を説明してみましょう。これは一九二〇年ころに電気工学の分野で盛んにいわれた「f分の1ノイズ」といわれる真空管の熱雑音にかかわるノイズの一つの形態です。熱雑音というのは一つの傾向をもって、統計的に「ゆらぎ」が出てくるために生じるものです。その雑音の研究の中から出てきた一つの原理ですが、これが最近では宇宙の創世にまで関係があるといわれています。すなわち原子や分子の運動や生命の誕生にまでこの「f分の1のゆらぎ」が関係しているというのです。

音の周波数とパワーが逆比例し、その勾配は四五度を示す。このような特性を示す直線上に波形の中心がのるテンポやリズムをもった音楽は人を落ちつかせ、自律神経の安定を助けることがわかってきました。「f分の1のゆらぎ」というものは宇宙創世から大自然の躍動の中にあるゆらぎと同じで、これらから人の五感を通じて情緒的に大いなる安らぎを与えることが実験的に証明されたのです。

ただ個人差があって、だれもが同じに反応するとはかぎらない。私のところにはα波を引き出す四百とおりほどのパターンが用意してあります。

だれでも思っただけで楽しくなるものがあるはずです。そういうものをつねに頭に思い浮かべるのが瞑想だと思ってかまいません。むずかしい理屈を聞いて頭で理解できても、それでβ波になっていたのではなんにもなりません。

瞑想の目的は脳波をα波にすることです。α波が多くなってくると、脳内モルヒネが出てきます。だんだん慣れてくると、瞑想中には自分の思ったとおりのものになれるようになる。これはひじょうに幸福感をもたらすもので、それが味わえるようになると、病みつきになってきます。

人間の体はひじょうにうまくできていて、体の中には生きるのに必要なものはすべてそろっているのです。薬が必要なときは体内製薬工場から必要量だけきちんと供給されますし、体を正しく動かしていれば、めったなことではこわれたりしません。

東洋医学の素朴な治療というものは、そういう人間が本来もっている能力をとことん生かすものであり、自分でどうしても生かしきれないとき、それを引っ張り出してくる技術が指圧療法や瞑想、そして呼吸法なのです。

西洋医学はこれと反対でミクロにミクロにと体を観察していって、そこで起きている状態を突き止め、それが不都合な場合は修復したり切り取ったりする。薬の発想もまったく同じです。

とくに薬が怖いのは、いま苦しんでいる症状に対しては効き目がありますが、体全体にとっては結果的にマイナスの場合が多いからです。たとえば血糖値を下げるインシュリン。これが不足するのが糖尿病ですが、外から注射でインシュリンを与えれば、とりあえず急場はしのげます。

そうやって糖尿病患者は急場しのぎをしていますが、それで体になんのマイナスも起きないかといえば、マイナスの影響はとてつもなく大きいのです。インシュリンが不足するのは膵臓がこのホルモンをつくらなくなったからですが、外から注射で間にあわせていると、膵臓はますますインシュリンを出さなくなる。そうやって臓器が退化していってしまうのです。

そこで思いきって注射をやめてみたら？　とアドバイスしたいのです。タイミングはむずかしいのですが、前に紹介した症例からもわかるように、やればできるのです。運動と食事と瞑想によって、かなりの部分まではそれは可能なのです。また、それは糖尿病にかぎらず、消化性潰瘍、高血圧、痛風、高脂血症、脂肪肝、ガンなどの予防と治療にかなりの効果があります。

一日最低五千歩、右脳をはたらかせて歩く

人間の体は二十五歳でだいたい発育が完了し、以後は老化へと向かいます。ほうってお

けば脳細胞は一日十万個のペースで死んでいき、筋肉も衰えはじめます。何より社会人として忙しいために、体を鍛える暇がなくなります。

ふだんの生活の中で脳細胞を守り、筋肉量を落とさないことは可能でしょうか。いちばん簡単でだれにでもできる方法を紹介します。それは一日最低でも五千歩歩くことです。歩くと、脳内モルヒネがよく出るのです。私は一万三千歩をノルマとしていますが、最低でも五千歩は必要です。これを励行すれば、いまいった目的はほぼ達成できます。

ふつうに暮らしていても人は歩いていますが、現代人の生活パターンでは、どうしても不足してしまいます。その不足分を意識して補う必要があるのです。私は足りないと思った日は家に帰ってからでも散歩に出て補っています。

雨が降っても歩きます。傘をさして歩けばいいのですから、簡単なことです。嵐の日以外はほとんど毎日です。いろいろなコースを自分でつくって、そのときの気分によって選んでいます。

歩くときは瞑想します。瞑想というのは、何も横になってリラックスするとか座禅を組むのがすべてではない。歩きながらでもできるのです。むしろ歩きながらのほうが三倍も四倍も効果があります。

そのときどんなことを考えるのか。自分の夢や希望や計画について考えるのです。これから病院をどう経営していくか。自分が理想とするかたちにするには、何から手をつければよいのか。そういうことを考えるのですが、いったん考えはじめると楽しくてやめられなくなる。雨が降っていても、そんなことはケロリと忘れています。

こういう気持ちになれるのは、右脳が盛んにはたらくからです。α波は右脳優位で出てきます。その右脳をはたらかせるには左脳を黙らせる必要がありますが、歩くことが左脳を黙らせるのに効果的なのです。

左脳が黙ってくれると、右脳から知恵が湧いてきます。じっと座ったままの瞑想がいいという人もいますが、じっとしているとあまりよい知恵は浮かんでこないものです。かえって雑念が出てくる。だからそういうときは自分の大好きなことを考えるのです。

何か創造的なことや本当の英知というものに出会うには、動きながらの瞑想にかぎります。昔、カントが毎日欠かさず散歩した話は有名ですが、彼の思索の大半は散歩のときのものだったでしょう。

人間の意識というものは、自分で意識できる世界ばかりではないわけで、それが無意識といわれる領域ですが、簡単に意識できる世界で考えついたことなどどうせタカが知れているのです。

机に座って理屈を並べているうちはだめで、体を動かして左脳を黙らせ、あらゆる記憶の宝庫である無意識のメッセージに耳を傾ける。そこでは個人の経験した過去のいっさいの記憶とDNAに刻まれた先祖の知恵がないまぜになって、ときにとてつもない着想が生まれることにもなるのです。

そういう境地に入っていくときの脳波がα波であり、そのとき脳内モルヒネがふんだんに出ていることを最近の医学は証明してみせたのです。

第二章の要約

- 成人病の原因のほとんどが脂肪がらみである。ストレスと脂肪、この二つが重なったら病気ゾーンに入ってくる。
- 筋肉量さえ減らなければ脂肪の毒にはやられない。
- ノルアドレナリン、アドレナリンは最大の血管収縮物質である。これをたくさん出すと血管が収縮するだけでなく、血管に目詰まりが生じてくる。
- コンスタントにサラサラとした血流を確保するためには、しっかり筋肉をつけることが必要だ。筋肉が第二の心臓の役割をしているからだ。
- セックスが終わってすぐ寝てしまうから疲労をもち越す。他の運動でもそうだが、使った筋肉を徐々にゆるめていくのが疲れないコツである。
- 筋肉も肺も脳もどんな場合もポンと止めてしまわないこと、これが活性酸素の被害を受けないコツである。
- 三十代以後の人間が筋肉を減らさないためには体操系統の運動がいちばんだ。ストレッチ体操が最適。この体操はふだん使わない筋肉を使うところに意味がある。
- 筋肉には筋緊張性繊維というのがあり、これは脳の視床下部というところにつながっているので、この筋肉が刺激されると、脳内モルヒネが出ていい気持ちになる。運動する人が運動中に幸福感に満たされるのは、この筋肉を使うからである。

●体を鍛えて筋肉もしっかりついているのに、体育系が早死にするのは、それだけ活性酸素の害が大きいということである。文科系と理科系では文科系のほうがやや長生きするが、理科系は論理計算などで左脳を使うことが多いためと思われる。

●一日一万三千歩歩くと筋肉を衰えさせずに脂肪をよく燃やせる。最高の健康法であり、そのとき瞑想すればなおよい。

●東洋医学は伝統的に、血液をサラサラと流すことを得意にしてきた。それが指圧療法であり、気功と呼ばれる健康法である。とくに深呼吸と体操によって体内の気と血のめぐりをよくする気功は、成人病予防にきわめて効果的である。

●東洋医学は脳内モルヒネを出す医学だが、その指標として使えるのが脳波である。脳波がα波になれば脳内モルヒネが出る。しかし現実の生活では脳波をα波にできる機会に恵まれない人もいる。そういう人間のために人工的に脳波をα波にできる機械もある。

●ふだんの生活の中で脳細胞を守り、筋肉量を落とさないことは可能である。いちばん簡単でだれにでもできる方法は歩くことである。歩くと脳内モルヒネがよく出る。最低でも一日五千歩は必要である。

第三章

いつまでも脳を若く保つ食生活

タンパク質がつくる脳内モルヒネ

動物が動きまわるのはエサを確保するためです。動物を見ていると、その行動の大半はエサの獲得と生殖に費やされている。生殖のほうは時期がありますが、エサとりは時期を選ばない。早い話、動物は一生「いかに食べるか」で動きまわっているわけです。

人間もかつては似たようなもので、エサの確保はあらゆる争いの原因にもなったわけですが、現在の日本は食物がありあまっており、「きょういかに食べるか」で頭を悩ます人はいません。たしかに幸福な時代ですが、忘れていけないのは人間の体の仕組みは飢えることを想定してつくられていることです。

食欲中枢のはたらきも、脂肪を蓄えることも、「栄養補給が途絶えるかもしれない」が前提であって、反対に過剰な供給への体の対応は案外不備なのです。つまり、食料がありあまる時代にあっては、食生活を自分できちんとコントロールできないと健康を損ねてしまうのです。

現代人の食生活で最初に注意しなければならないのはカロリー過剰です。ただこのことはみんな知っていて、いろいろコントロールしています。だからそう強調することもないのですが、もう一つ絶対に実行してもらいたいことがあります。前にも述べましたが、それは良質のタンパク質をしっかり食べることです。

なぜならタンパク質が脳内モルヒネの材料になるからです。脳内モルヒネは物質ですから、物質からつくられる。脳内モルヒネをつくる物質はアミノ酸ですから、アミノ酸が豊富に必要になるのです。

脳内にあるアミノ酸は少しは蓄積できますが、すぐに使ってしまうので、食いだめということは絶対できません。

脳を元気づけて活発にはたらかせるためには、毎日良質のタンパク質を補給してやる必要があるのです。ただし、このとき低カロリーということをつねに念頭におかねばならないのはいうまでもありません。

では具体的にどんな食事がよいのでしょうか。一つのよい食生活のモデルとしてお坊さんの食べていた精進料理があげられます。いまのお坊さんはなんでも食べるので、人によってはとてつもない危険な生活をしていますが、伝統的な精進料理は、脳の若さを保つのに最適といってよいものです。とくに豆類を加工した豆腐、麩（ふ）、湯葉、これらは植物性の良質なタンパク源で、昔のお坊さんの長生きとボケ防止の切り札でした。

ただ現在のような食料豊富な世の中で、いまさら昔の坊さんのような粗末な精進料理を食べるのでは、あまりに楽しみがないので、実際のモデルとしては京都の懐石料理をイメージしていただければよいでしょう。

美食をする、つまりグルメをしていけないことはありません。食べることは大きな楽しみですから、これを奪うことはストレスになります。おいしいもの、好きなものを食べるときは脳も喜んで脳内モルヒネを活発に出してくれる。まずいものや嫌いなものを食べるときは脳内モルヒネが出てくれません。

しかし、だからといって「好きなものだけを食べる」「食べたいだけ食べる」では、過食、偏食の害を免れることはできません。食べているときは脳内モルヒネが出ても、偏食も過食も活性酸素の発生源になるからです。

高タンパク質・低カロリー食が理想的

私たちが食事からとる栄養素のうちで、タンパク質は味がよくありません。タンパク質そのものはおいしくないのです。いちばんおいしいのは脂肪で、次が炭水化物。そのわりに美食メニューにタンパク質が多いのは、適当に脂肪がまじっているからです。ウナギでもビフテキでもうま味の本体は脂肪がらみといってよく、そのためタンパク質をとろうとすると太ってしまうのです。

脂肪はエネルギー源をためるうえでもっとも効率的なので、体は脂肪が入ってくるとすぐに蓄積体制へと向かいます。これは無理もないので、もし脂肪以外で私たちがいまていどのエネルギー蓄積をしようとしたら、体重六〇キロの人なら三一五キロ必要になり、小錦より大きい体にならないと間にあいません。

脂肪という便利な栄養素でためるから、いまの大きさの体でいられるのだし、また何日かものを食べられない状態になっても生きていられるわけです。しかし何事も「過ぎたるは及ばざるがごとし」で、脂肪が必要以上に増え過ぎると、これが血管の目詰まりにつながってくることになります。

一つ注意していただきたいのは、高カロリーの食事をすると、タンパク質であれ炭水化物であれ、あまった栄養素はみんな脂肪に変わる事実です。エネルギーを蓄積するときはすべて脂肪だと思って差し支えありません。

炭水化物やタンパク質も脂肪化するので、太るからと脂肪だけ避けてもなんの意味もありません。三大栄養素の役割はそれぞれ違うといっても、根本ではつながっている。どんな場合も食べ過ぎは体脂肪を増やすことになります。

タンパク質がどうやってエネルギーになるかというと、アミノ酸単体のときにエネルギーになるのです。タンパク質が体に入ると、いったんアミノ酸に分解され、それぞれの用途に応じたタンパク質に再合成されますが、その場合、アミノ酸が百以上つながった分子のことをタンパク質と呼ぶのです。

百個以下の場合はタンパク質とはいわずペプチドと呼びます。脳内モルヒネはこのペプチドなので、エネルギー化することなくホルモンとして機能できるのです。脳内モルヒネにはチロシンというアミノ酸が必ずあり、チロシン単体でも脳内モルヒネに似たはたらきができるのですが、これは燃えてしまうため残念ながら単体では利用できません。

脳のためには高タンパク質が絶対に必要ですが、成人病の原因、つまり血管の目詰まりを起こすのは脂肪ですから、同時に低脂肪、低カロリーの食事にしなければなりません。ところがこの食事法がわからないという人がかなりいるのです。

最近は素人にもわかる栄養学の本がたくさん出版されていますから、それを読んで研究されるとよいでしょう。食料が豊富な時代だけに、あるていどの栄養の知識をもって賢く食べないと、どうしてもカロリー過剰になってしまいます。

私の病院では食事指導もしています。入院された人には安い費用で、私が考える理想の高タンパク・低カロリー食を提供して、どんなものかを直接味わってもらっています。なかにはすっかり気に入ってさっそく家庭で取り入れる人もいます。

病院の食事では脂肪もふつうに出しています。前に筋肉のところで述べたように、脂肪が燃えるのは筋肉の中ですから、運動をして筋肉の中に脂肪を引っ張り込みさえすれば適量の脂肪は食べてもいいのです。

ただ、この場合に血糖値の高低が最大の問題になってきます。血糖値が高いと脂肪は筋肉の中に引っ張り込めないのです。引っ張り込むことのできる血糖値は、ふつうの人で一〇〇ミリ以下、どんなに高くても一五〇ミリ以下でないとだめです。

血糖がこのレベルにあると、筋肉内の脂肪を燃やす代謝経路へと送り込めるのです。それはちょうど二又の道にさしかかったようなもので、右へ行けば脂肪は燃え、左へ行けば蓄積倉庫。脂肪はどちらの道へ行ってもよいので青信号の道を選びます。

このとき信号の役目をするのが血糖で、一五〇ミリ以下だと「燃えるほうへ行け」と指示できる。それ以上だと「倉庫のほうへ」と指示するので、食べた脂肪はすっかり蓄積にまわってしまうのです。

これをなくすにはどうしたらよいかといいますと、食後にちょっと体を動かせばいいのです。食後三十分くらいのときに、散歩でもして軽く体を動かすと、血糖値がストンと落ちますから、脂肪が燃える道へと入っていってくれます。

いちばん太るのは、食後に甘いデザートを食べてゴロ寝をしたときです。食事で血糖値が上がったところへ、糖分で血糖値をさらに上げ、そのうえゴロ寝でエネルギーを使わないわけですから、食後の甘いものとゴロ寝は百害あって一利なしです。

草原のライオンは満腹すると、ゴロリと横になります。あれを見ていると気持ちがよさそうで、思わずまねをしたくなります。だが彼らが食後にゴロ寝をするのは、われわれ人間とはまったく逆の意味において正しいのです。

いつ食うや食わずの境遇に見舞われるかわからない動物たちは、できるだけ脂肪をためておく必要があるのです。われわれはいまそういう心配がいっさいないわけですから、ライオンのまねをするとかえって命を縮めてしまいます。

脳のための理想の食生活は高タンパク・低カロリーですが、目の前にいくらでも食べ物があり、また本能として美食をしたい欲求をもっている人間が、いくら体のためとはいえ毎日毎日、修行僧のような食事で満足できるはずがありません。

だからグルメはしてもよいのです。ただそのグルメ毒にやられないように、食後三十分たったら体を動かすことを必ず実行してください。動かす時間は二十分間かそこらでけっこうです。いちばんよい運動は少しのパワートレーニングとその後の適度のウォーキングです。

なお食後三十分というのにも意味があります。食べた直後はまだ胃に食べたものがあって、すぐに動くと消化器によけいな負担をかけてしまうことになる。三十分たてばほとんど小腸へ移動していますから運動をしても大丈夫なのです。

グルメをしても太らず筋肉をつけられる

もう一つグルメをしながら太らずに筋肉を育てる方法があります。それは寝るときに楽しいことを考えながら、よい睡眠に入ることです。楽しいことを考えるというのは、一種の瞑想で、そういうときは脳波が α 波になり、体がリラックスしてきます。

そのような状態で睡眠に入ると、体内から成長ホルモンが出てきます。よく「寝る子は育つ」といいますが、成長期ばかりでなく大人も成長ホルモンが出ます。大人の場合はいくら成長ホルモンが出ても、身長まで伸ばしてくれませんが、筋肉は太らせてくれます。

成長ホルモンは目覚めているときも出ることは出ていますが、ほんの申しわけていどで大部分は睡眠中なのです。あるいは瞑想してもよいのです。食後に瞑想すると、血液がサラサラ流れ、筋肉内の血流が増えてきます。

そこへ成長ホルモンが出ると、運動しなくても筋肉がついてきます。運動というポジティブな手段でももちろんかまいませんが、瞑想でも睡眠でも、α波の状態にもっていけばこういうことが起きるのです。

α波で興味深いのは血糖値をおさえる力のあることです。血糖を高くするホルモンにグルカゴンがあります。低くするのはおなじみのインシュリンです。グルカゴンがどういうときに出るかというと、その前に必ず出るホルモンがあるのです。

それはノルアドレナリンとアドレナリンです。たとえば興奮してカーッとするとノルアドレナリンが分泌します。そうすると膵臓からグルカゴンが出てきて血糖値を上げてしまうのです。

食事のあとすぐに興奮するような出来事があって、カッカしたら、ノルアドレナリンが出て、次にグルカゴンが出て血糖値が上がる。そのようなことを繰り返していると、どんどん太ってくるわけです。

この一連のメカニズムからわかるのは、食後は脳内モルヒネが出る環境に身をおくのがよいということです。そうすれば血糖値が下がり脂肪がよく燃えるうえに、成長ホルモンによって筋肉がついてきます。

瞑想は東洋医学のもっとも得意とするところですが、これを何回もやっていると脳内モルヒネが出るのはもちろん、脳内モルヒネがたまる倉庫が大きくなり、粗食でも、軽い運動でも、効率的に健康な状態にしてくれます。

高齢化社会になってお年寄りの健康法がいろいろ紹介されていますが、「よく運動をして体を鍛えよ」というのはちょっと問題です。前にも述べたとおり運動はしないのもだめですが、もっと怖いのは運動のし過ぎのほうです。

過激な運動は二十五歳まで、あとは筋肉を減らさないようにするだけでいい。脂肪を燃やすにはゆるやかな運動も効果的ですが、何にもまして効率的なのは、脳内モルヒネをよく出すことです。瞑想とか気功によって脳内モルヒネを出していれば、いま述べたようなわけで筋肉は減りません。

脳内モルヒネが出ると記憶力もよくなる

脳には記憶をつかさどる海馬という部分があるのですが、この部分を活性化して、もの忘れなど起きないようにしているのも脳内モルヒネなのです。記憶に関係する海馬はエー・テン神経（快感神経）の支配下にあります。脳内モルヒネを引っ張り出す神経の塊の根本がエー・テン神経なのです。

脳内モルヒネが出ないと頭がわるくなるというのは、学習や記憶と関係する海馬が脳内モルヒネを支配するのと同じエー・テン神経の支配下におかれていることと無縁ではありません。

エー・テン神経は最終的には、大脳新皮質の前頭連合野と結びつくのですが、記憶に関しては海馬が重要な役割を果たしていると考えられるのです。

たとえば視覚でいえば、私たちは日常、実にいろいろなものを目で見ています。だが記憶にないと感じられるものが大半です。電車の中で乗りあわせた乗客の何人かの顔は、目の前ではっきり見ています。ところが赤の他人のような場合は、顔はおろか見たことさえ記憶に残りません。

しかし意識にのぼる記憶になっていなくても、脳は一回見たものは全部記憶していると考えられるのです。そういう記憶の貯蔵庫になるのが海馬といわれています。あとになって何か必要があって思い出そうとして「ああ、こういう顔だった」といえるのは脳内モルヒネのおかげなのです。

脳内モルヒネには前にもいった増幅効果（アンプリファイヤ）があって、海馬にインプットされた弱い記憶を、ちょうどラジオのボリュームを上げるように増幅してくれる。それで思い出すことができるのです。

記憶力がよいとかわるいとかは、頭のよしあしというよりも、脳内モルヒネがどれだけ出せるかによって決まってきます。つまり脳内モルヒネの出がわるくなると、記憶力も鈍ってきてしまうのです。

記憶力が衰える原因は、脳血管の目詰まりとか脳の損傷とか他にもたくさんありますが、そういうこととは別に脳内モルヒネが記憶を高める能力をもっていることは間違いありません。脳内モルヒネがどれだけ記憶にかかわっているかの一例を挙げてみます。

五十八歳の男性です。この方は早老症というのか、まだそんな年齢に達していないのにもの忘れがひどいのです。一分前に自分がいったことが思い出せない。アルツハイマーに似た痴呆の症状を見せていました。

健康診断をしてみるとプラス二一の肥満度。総コレステロール値も二六三と高い。そこで私の病院の定番メニューである食事と運動と瞑想で治療に入りました。この人の場合、大の釣り好きだったことが大きな助けになりました。

釣りの話をすると目を輝かせるのです。それでまず釣りのビデオを見せました。それから瞑想をしてもらったのです。そうしたら、以前は散歩に行ったまま帰ってこないので、奥さんが迷子札をつけたり電話番号を書いて持たせたりと大変だったのですが、いまは家から三十分くらいの散歩だったらきちんと帰ってこられるようになりました。

またちょっと興奮性があって、家族ともギクシャクしていたのがなくなった。ひじょうによいコミュニケーションがとれるようになったのです。全快といえる状態ではありませんが、他の方法だったらここまでは回復しなかったでしょう。

ビデオをきっかけに、大きな魚を釣り上げた話をするようになったので、われわれはそれを熱心に聞いてあげたのです。何回聞いても同じ内容の話をしますから、そのことに関するかぎり正確に記憶がよみがえったに違いありません。

この人の場合、釣りの話をするのが最高の薬なのです。気分がよくて脳内モルヒネがこんこんと湧き出る。脳波を測定してみると、ひどく低かった α 波の比率がかなり高くなっていました。

それまでは看護婦さんがいじわるしたとか、奥さんが来てないのに「女房が洗濯物をもってきてくれた」といって、他の人の洗濯物をもってきたりと、かなり問題があった人だったのですが、自分が好きな釣りの話をじっくり聞いてもらえるだけで、これだけ記憶の回復ができるようになったのです。総コレステロール値も二六三から二〇七へ。これは正常値の範囲内です。そして肥満度もプラス二一からマイナス三まで下がりました。

これらの改善がいっさいの副作用なしにできたのです。脳内モルヒネのおかげといっていいでしょう。人間は発育が完了した段階から脳も衰退に入りますが、それは具体的にいえば百五十億とも百八十億ともいわれる脳細胞が一日十万個ずつ死んでいくことを意味します。しかしこれには当然、個人差があります。

活性酸素がひんぱんに発生するノルアドレナリン、アドレナリンを出し続けているようだと、脳細胞の死滅は加速されますが、脳内モルヒネがよく出るようにしていれば、海馬を中心として、記憶や学習に関係する脳の部分がつねに刺激されて脳の健康が保たれるのです。

活性酸素の毒を中和するものがある

人間が一生に吸える酸素量は二千百万リッターといわれています。体の中で消費できる酸素の量です。何か物質をつくり出そうと思ったら、それだけ活性酸素が多く発生します。高カロリーの食事をすることは、それだけ体の仕事を多くするようなもので、活性酸素も増えるのです。

活性酸素の発生は少なければ少ないほどよいのです。活性酸素を少なくするためにはストレスをできるだけ少なくし、また酸素消費量も必要最小限にとどめるのがよいわけですが、食事量もこのことと大いに関係してきます。

また酸素と同じように、食べるものも一生の量が決まっていると考えられるのです。たとえばわれわれは生まれたときから、ある一定量の食べ物の貯金をもっていて、一生を通じて、その貯金をおろして使っています。

かりにその貯金が一億円であったとすれば、一年間に百万円ずつ食べていけば、底をつくまでに百年もつことになります。ところが二百万円のペースで食べてしまえば、半分の五十年で貯金がなくなってしまいます。食べ過ぎるというのは、これをやっているようなものです。

「細く長く」ではなく「太く短く」のほうを選んでしまうのです。食物はエネルギーを得るためには必要ですが、食べるのはいいことばかりではない。活性酸素という毒にさらされる危険をつくるので、できるだけ少ない量を効率的に使いながら、一方で発生した活性酸素を中和しないといけないのです。

効率的に使うためには脳内モルヒネを活用するのがよいわけですが、自然界からも活性酸素を中和するものがたくさん見つかっています。それを示したのが次ページの〈図表22〉です。

これを見てもおわかりのように、活性酸素をいちばんよく中和する物質は水素なのです。水素エネルギーが無公害のエネルギーだといわれているのはそのためです。

酸素は八二〇ミリボルトのプラスの電位をもっていますが、水素のほうはマイナス四二〇ミリボルトの電位をもっている。われわれもできるだけマイナスの電位をもつようにするほうが体のためにはよいのです。

生まれたばかりの赤ちゃんは、だいたい〇から一〇〇ミリボルト以内の電位が保たれているのですが、年をとるにつれてプラスのほうへいってしまいます。したがって外からと

図表22　食品、水などの酸化度、還元度の尺度

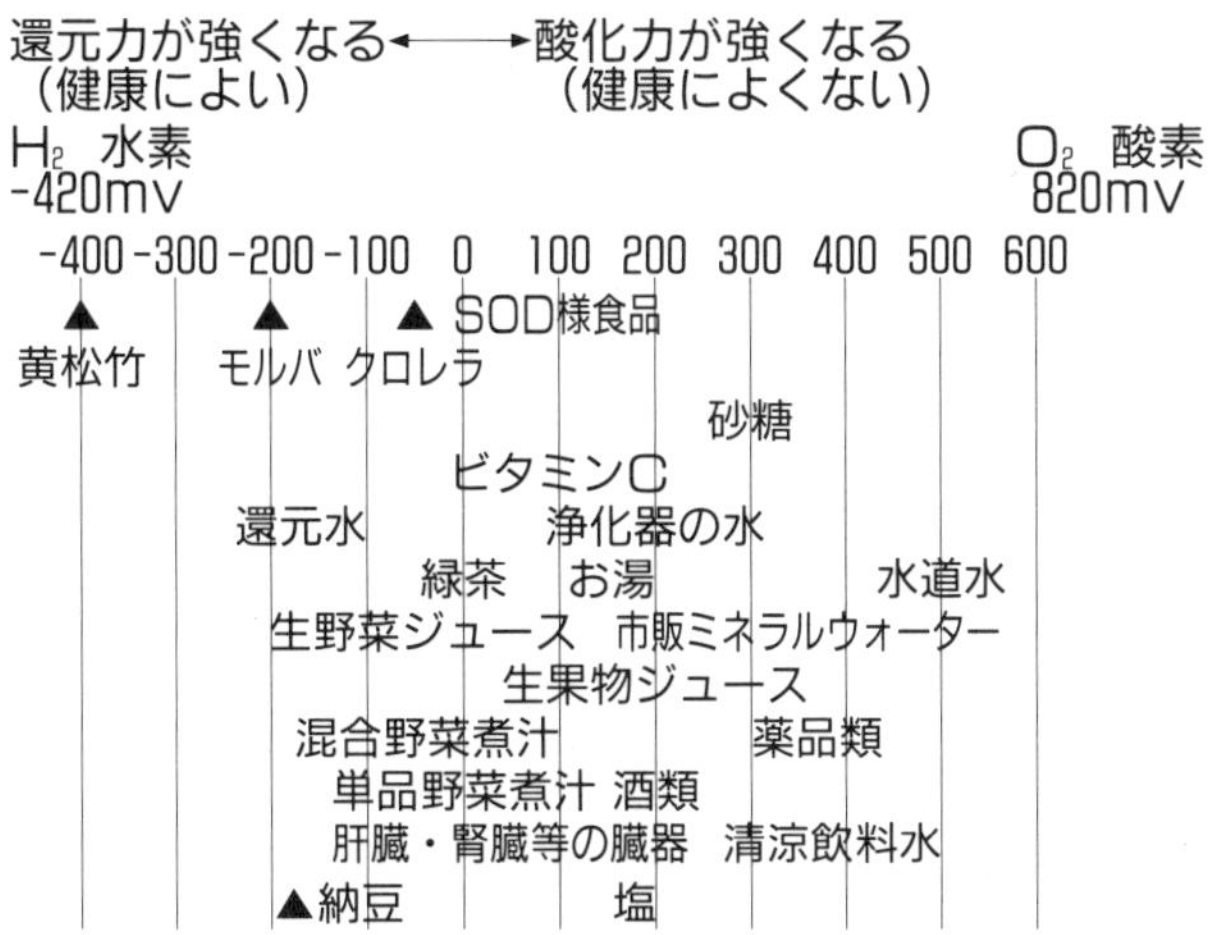

り入れるものも、できるだけマイナスに近いものが望ましいことになります。

この図の中で水道水がいちばんプラスの側にありますが、これは薬よりもわるいということです。なぜかというとサラシ粉（塩素）が投入されているからです。塩素を入れる理由は細菌汚染した水の安全性を高めるためですが、こういう発想が現代人が陥っている最大のワナといえるものです。

細菌を殺すために塩素を入れる発想は、虫には殺虫剤をまく、細菌感染の病気には抗生物質を使うというのと同じ対症療法の発想です。目先はそれで効果がありそうですが、長い目で見たら問題を解決するのではなく、新たな問題をつくっていることになります。抗

生物質などに頼っていたら、永遠の追いかけっこをしなければならず、しかも事態はだんだん人間にとって悪化してきます。

水道水の場合は塩素を入れることで、別の新たな化学反応を誘発し、それが発ガン物質をつくるという危険が生じています。もっとすごいのはプールで、水道水にさらにサラシ粉をドカッと加えているのです。保健所がそれを義務づけているのですから、こんなムチャな話はありません。

泳ぐのは健康によいといわれていますが、サラシ粉をいまのレベルで投入している水の中で泳ぐのは、私にいわせれば健康のためなどではなく、わざわざ毒をもらいにいっているようなものです。前にスポーツ選手は寿命が一般人にくらべて短いという話をしましたが、水泳競技の選手などは現役時代が短いので救われているようなものです。

いまは子供の水泳教室が盛んですし、中高年の方も健康のために泳ぐ人がいます。しかしいまのプールの現状だと、泳ぐプラスとサラシ粉のマイナスをはかりにかけたら、泳ぐほうが損だと思います。

サラシ粉を入れなければ汚くて泳げないというのが保健所の主張ですが、たとえば檜(ひのき)のエッセンスなどを入れて安全にする方法や紫外線で殺菌する方法も開発されています。私は病院の他にフィットネスクラブをつくっていますが、サラシ粉以外の安全な物質で水を浄化できないものかといろいろ試しているところです。

最近、子供のアトピーが増えていますが、殺虫剤、農薬、抗生物質などの薬品類、そしてプールのサラシ粉、危険な水道水、こういったものがすべて複雑にからまって、子供たちの不健康をつくりだしていると思います。

飲み水は水道水をそのまま飲むのは好ましくありません。体の三分の二は水であり、水は毎日補給されなければならない。質のわるい水は老化を進め成人病の原因になると考えられるので、せめて浄水器で濾過した水を飲むようにしたほうがよいでしょう。

市販のミネラルウォーターは水道水よりもはるかに安全ですが、コストは水道水の何百倍にもなってしまいます。水道水は一度わかすだけでもかなり安全になりますから、手間はかかりますが、健康のためにはそういう努力もしたほうが身のためです。

納豆こそ日本が生んだ最高の食品

数ある食品の中で脳細胞の活性化に役立つと思われるのが納豆です。〈図表22〉ではマイナス電位の二〇〇近くにありますが、納豆は日本が生んだ最高の自然食品といってよいと思います。私自身も納豆は欠かしたことがありません。

昔のお寺の精進料理に豆腐、麩、湯葉など大豆の加工品が多いのも、納豆の素晴らしさと一脈通じるものがあります。大豆はもっとも良質な植物性のタンパク質であり、しかも安価で手に入りやすいものです。

味噌もそうですが、大豆を使った食品は、アミノ酸バランスにすぐれ、脳内モルヒネの材料として最適なものです。とくに米飯との組み合わせは、米に少ないアミノ酸を大豆がもち、大豆に足りないアミノ酸を米がもっていることから、お互いに欠点を補って最高のアミノ酸バランスになるのです。

最近アメリカからＩＱ二〇〇という、とてつもない天才児が来日し話題になりました。日系三世の少年の母親は、妊娠中に納豆を食べまくっていたそうです。また少年自身も小さいときから大の納豆好きで、いまでも毎日欠かさないようにしているとテレビで紹介されていましたが、納豆が脳細胞の活性化に役立つことを示す、生きた見本といってよいでしょう。

納豆よりは少し落ちますが、先の図表に肝臓、腎臓などの臓器と書いてあるのは、いわゆるモツのことで、これもおすすめできる食品です。鳥、豚、牛などの臓物類は、焼き鳥の材料ですが、食べ方や素材によってバラツキがあるものの、おしなべて活性酸素をやっつける素材となるものです。

緑茶も納豆と並んでよいものです。緑茶の電位はゼロですが、これに近いところで緑茶にややまさるのがクロレラです。クロレラがなぜいいかというと、ふつう植物というのは、太陽光線にさらされて大量の活性酸素を発生させているわけです。最近、人間もあまり日光浴するなといわれていますが、それくらい紫外線は生命体に危険なものです。だが植物はそのエネルギーを利用して光合成を行なうので、太陽光線を浴びないわけにはいかない。

それで、みずからが太陽光線にあたっても枯れない防衛機構をつくり出した。その秘密は葉緑素にあり、葉緑素の塊がクロレラなのです。私はもの心ついたときからクロレラを飲んでいますが、老化の度合いはずいぶん違っていると思います。実際、五十代半ばになったいまも、頭髪が黒々としているためか、よく若いと驚かれます。

緑茶も同じ原理で抗酸化食品としておすすめできます。また緑黄色野菜も葉緑素と抗酸化ビタミン（ビタミンC、A、E）がとれるので、新鮮なものを上手に調理して食べるとよいでしょう。あと健康食品関係ではローヤルゼリーなども推薦できるものだと思います。

また、図表の黄松竹（おうしょうちく）というのは漢方薬の一種です。

α波を出し、記憶力を改善する食品

フランスに、ある食品を使った興味深い実験結果があります。北大西洋の深海千五百メートルから二千メートルのところに生息するモルバ・ガディデアというタラの内臓から取り出した栄養補助食品ですが、これを飲むだけでストレスが軽減され、脳波がα波になってくるのです。〈図表22〉のマイナス二〇〇のところのモルバ（深海魚）というのがそれです。

脳波がα波になるということは、脳内モルヒネが出やすい状態にもっていけるということです。食べるだけでプラス発想や瞑想をしたのと同じ効果が得られるとは、忙しい現代人にとってはまことにありがたい存在といえるでしょう。

以下にフランス国立脳老化防止研究所の行なった臨床試験の概要を簡単に紹介しておきます。この試験は三十五歳から七十五歳までの男女百人を対象に行なわれました。目的は記憶力の低下を訴えている人々にこの栄養補助食品、モルバという深海魚のカプセル（以下モルバ・カプセルと呼ぶ）を与えることで、記憶能力にどんな変化が起きるかを調べるものです。別にプラシーボ群（比較のためにニセ薬を与えられるグループ）も用意され、六十日間毎日モルバ・カプセルを与えて、ゼロ日、十五日目、六十日目の三回、記憶テストを行ないました。その結果について同研究所では次のように報告しています。

「観察された結果から得られる結論は、モルバ・カプセルは心理的安定と集中力の増進によって短長期にわたる記憶力を改善する」

私の田園都市厚生病院でもモルバ・カプセルを使ってみました。胃炎、肝炎、膵炎患者を対象に三か月間、毎日モルバ・カプセルを飲んでもらって、脳波の変化を観察したのです。その結果 α 波は三十日後に上昇傾向を見せはじめ、六十日、九十日と一段とよくなっていったのです〈図表23〉。

このことはモルバ・カプセルという食品が、明らかに脳の快感神経（エー・テン神経）の興奮をもたらし、リラクセーション効果を発揮するということです。フランスの研究では記憶力の向上が認められ、われわれの研究ではリラックス効果が得られたわけです。

リラクセーションと記憶力という効果ですが、実際はリラックスがもっとも人間の能力を引き出すことが知られています。

図表23 モルバ・カプセルによるα波の変化

累計表

項目＼期間		投与前	投与後30日	投与後60日	投与後90日	P
症例数		20例	20例	20例	20例	
総合時間		600秒	600秒	600秒	600秒	
α波	クリアレート	2.3±0.7	3.5±0.6	4.1±0.5	5.3±0.5	P〈0.05
	スコア	11.2±1.8	15.5±6.0	33.4±7.4	32.7±7.7	P〈0.01
	トータル	14.1±1.7	20.0±6.7	34.2±7.7	38.7±9.7	P〈0.01

*対象患者　男性／11名、平均年齢52.3歳
　　　　　　女性／９名、平均年齢49.9歳

アインシュタイン博士の仕事中の脳波を測定した実験によれば、計算がひじょうにスムーズに運んでいるときの脳波はα波であり、計算を間違えたとたんにβ波になったという話があります。

ふつう脳の計算機能は左脳といわれていますが、α波が出ているということは右脳が主体と考えられます。日本で珠算日本一の女性が暗算しているときの脳波もα波で、どうも人間がもっとも高度な思考能力を発揮しているときは、左脳ではなく右脳が使われていると考えられるのです。

右脳は先天脳ともいわれます。右脳を切り取ってしまうと、本能的なことができなくなってしまうのです。生まれたばかりの赤ちゃ

んが、教えもしないのに母親のおっぱいを上手に飲むことができるのは、そのノウハウが脳にあらかじめインプットされていると考えるほかありません。

同じことは他にもいろいろ見られます。前世の記憶があるなどというのも、先天脳の記憶のファイルが意識の表面に現われたのだと理解すれば納得がいきます。ただ通常はそのような記憶は引っ張り出せないのです。

その記憶はDNA・RNAに刻まれていて、ふつうでは意識できないけれども、深いところの自我はちゃんと知っていて、われわれの本能とか生理的な欲求になって現われてくるのですが、ここには低次欲求ばかりでなく、もっとレベルの高い情報もインプットされていると考えられます。

ただ容易に引っ張り出せない。引っ張り出すには、瞑想とか祈りがもっとも効果的な方法と考えられてきました。アインシュタインもニュートンもヒラメキで偉大な法則を見つけていますが、いくらヒラメキといっても、脳にないもの、記憶にないものは出てくるはずがないので、そういう可能性はわれわれにもあるのです。

要は意識のレベルでそれを感知できるかどうか、そのカギになるものがいままでは祈りや瞑想やよい睡眠だったのですが、モルバ・カプセルのように食品が記憶力の改善や集中力増強に力を貸してくれるうえα波をつくり出せるとなれば、もっと意識的に広範の人々がそれを取り出すことができる時代がやってくるかもしれません。

将棋名人が対局しているときの脳波もα波であることが知られています。要するに天才とは脳波を容易にα波にでき、脳内モルヒネを引っ張り出せるコツを会得した人たちなのです。

私たちが脳内モルヒネをもっと出せる生き方をすれば、いまの自分には想像もできないような素晴らしい能力を発揮することができるはずです。脳内モルヒネはわれわれを天才の域まで引っ張り上げてくれるだけではありません。病気に強くなり、人生も楽しくなります。そういう人間が増えてくれれば、世の中もいっぺんに平和で安全で豊かになるのではないでしょうか。

ストレスを何年も積み重ねるとどうなるか

痛風という病気があります。この病気の指標になるのが尿酸値です。尿酸が体の中にあまってとがった針のように結晶化し、神経にさわるのでものすごく痛い病気です。尿酸は細胞が新しくつくり替えられるときに生じる一種の燃えカスで、ふつうは尿や胆汁となって体外へ排泄されます。

これが体内に異常に増え過ぎたり、うまく排泄できなくなって、たまった状態になると結晶化して、風が吹いただけでも激痛をともなう痛風という病気になるのです。またこれは腎障害や尿路結石などの原因にもなります。

運動のし過ぎや強いストレスの他、食事にも原因があるといわれています。この病気の原因になる食事とは、肉類や貝類、魚の内臓などに多いプリン体という物質といわれています。

グルメの人がよくなる病気なので、尿酸値が高くなると「美食を控えたほうがよいですよ」と医者がアドバイスをすることになります。

しかし最近、尿酸があると猛烈な活性酸素が生じることがわかってきました。たんに過剰な尿酸がたまるだけでなく、活性酸素を発生させるので、細胞が傷ついて炎症を起こす。腎臓でそれが起これば尿が出にくくなり慢性腎障害で命を落とすかもしれません。

私たちは病気になると薬を飲みます。頭が痛くなれば頭痛薬のお世話になります。その場合の私たちの意識は、薬は自分たちの味方ということです。しかし私たち医者の立場からいえば、ちょっといいにくいことではあるのですが、薬は体にとってほとんど毒物といってよい存在なのです。

たとえば鎮痛剤を飲みます。本来は侵入した細菌をやっつける好中球という白血球を活性化させる。すると好中球はやっつける相手もいないのに活性酸素をどんどん吐き出しはじめてしまうのです。

また胃の中にヘリコバクターという細菌がいて、この細菌に白血球がふれると活性酸素を出す。活性酸素が過酸化水素になって、さらに胃の中の塩分と一緒になると、次亜塩素酸というものになる。次亜塩素酸とは、さきほど有害性について述べたサラシ粉のことです。

体の中でサラシ粉ができて、体内の尿素と一緒になると、これは猛毒の発ガン物質になるのです。この他にもこういうような体内で生成される発ガン物質は数えきれないほどあります。

タバコを吸えばベンツピレンという発ガン物質が取り込まれる。しかしタバコを吸わなくても薫製（くんせい）にもベンツピレンは含まれています。ハムの発色剤である亜硝酸塩は胃の中でタンパク質分解物にふれるとニトロソアミンという発ガン物質をつくる。口から入るものを発ガン性などの危険でチェックしていったらきりがなくなってしまいます。

しかし私がここでいいたいことは、すべては活性酸素に収斂されるということです。活性酸素を生じさせるものはたくさんあります。自然にもできるくらいですから、これもいちいち調べていったら何もできなくなってしまいます。

そこで絶対に覚えておいていただきたいのは、いちばん活性酸素が出るのは、何といってもストレスだということなのです。食品その他でいろいろあっても、いちばんの発生源はストレスであり、ストレスということはノルアドレナリン、アドレナリンが出るときだということです。

このためにガンができ、脳の血管が詰まり、人間はいろいろな病気になって、本来なら百二十年は生きられるのが、八十年くらいのところで早々と亡くなってしまうのです。いわば活性酸素こそ人類にとっての最大最強の敵といって過言でない。しかし、その原因をさかのぼれば、ストレスが最大の敵ということになってきます。

ストレスとは何か。生体に加えられた心理的、生理的な歪みですが、ごく簡単にいってしまえば「いやだな」と精神的にマイナスに受け止めることです。あるいは不安や心配、欲求不満や憎悪、嫉妬や羨望、劣等感など、すべてマイナス発想になったとき、私たちはストレスを受けることが多いのです。

これを避けるのは脳内モルヒネです。脳内モルヒネが出てくれれば、ストレスはマイナスにははたらかない。ストレスにはマイナスにはたらくストレスとプラスにはたらくストレスがありますが、それは結局受け止め方しだいなのです。

たとえば魚の焼け焦げを見て「発ガン物質だが大丈夫か」と心配しながら食べたらマイナスのストレスです。肝臓が悲鳴をあげているところを想像してお酒を飲んだら、肝臓によくないことは明らかです。

タバコを吸うとき肺ガンの心配、罪の意識をもって吸うとします。それだけが原因で肺ガンになるかどうかはわかりませんが、確実なのはアドレナリンが分泌されることです。アドレナリンの分泌は活性酸素の生成を促し、物質的になんらかの加害行為が行なわれることだけはたしかです。

同じ一服でも「やれやれひと仕事終えた。ああ、うまいなあ」と思って吸えば、脳内モルヒネの β—エンドルフィンが出てくる。これも物質ですから体の中ではなんらかのプラスの変化が起きる。人間の考え方は習慣に支配されることが多いですから、マイナス発想の人はあきずにせっせとマイナスを積み上げていく。プラスとマイナスを同じようにして一年、三年、五年と積み上げていったら、先へ行って天地の開きが出てきて不思議はありません。

かりに二十五歳の脳の完成時期までまったく同等の肉体条件だった二人が、「プラス発想人間」と「マイナス発想人間」として別れて、二十年後に再会したら、見かけの年齢差、健康状態、老化度で一世代から二世代の差がついているでしょう。脳内モルヒネを征する者は人生を征するといってもよいのです。

酸化が怖い、古くなった食品は食べるな

身近で起きる酸素のはたらきというのを見てみると、酸素というものがいかに両刃の剣であるかがよくわかります。まず酸素は私たち人間に不可欠な物質です。人間だけでなく、この地球上のあらゆる生物にとってそうです。

酸素はエネルギー源だからです。われわれ動物は外から栄養分を体の中に取り込み、酸素で燃やしてエネルギーを得ている。もし酸素がなかったら、人間も地球上の大半の生物も十分と生きていることはできません。

そういう意味では酸素はわれわれにとって頼もしい味方であるわけですが、一方でこれまで述べてきたように活性酸素というかたちで、酸素はわれわれを病気にさせ老い込ませ、ついには命を奪ってしまうのです。そうした酸素毒のわかりやすい例として、空気中にある酸素が引き起こす変化として、次のようなものが挙げられます。

①鉄がさびる
②ゴムが弾力を失う
③バターや食用油が変色する
④皮をむいたリンゴが変色する

われわれを生かしてくれる酸素がなぜ私たちに毒物としてはたらくのか。このことを理解するには微生物の大昔の姿を知ることが必要です。太古、この地球において生命が誕生したとき、その微生物というのは酸素を使わないで生きることができました。

というよりむしろ酸素があっては困る生命システムでした。ところがあるとき太陽の光を使ってエネルギーをつくる藻が繁殖しはじめて、この藻が老廃物として酸素を吐き出しはじめたのです。これは人間が酸素を吸って炭酸ガスを吐くのとちょうど逆の営みです。

そうやって藻がどんどん酸素を吐き出すために、酸素のないところで元気に生きてきた微生物は酸素毒にやられて、いったんあらゆる微生物が死に絶えたと考えられます。そのあとに今度は酸素を利用できる微生物が現われた。酸素のもとで生きられる微生物を好気性微生物といいますが、いまの地球は酸素を含んだ空気に取り囲まれているので、こうした好気性微生物の天下になっているわけです。

一方、酸素があると生きられない嫌気性微生物はほとんど絶滅しましたが、空気にふれない土中深くや深海あるいは私たちの腸の中などにもぐりこんで今日まで生きながらえてきているものもあります。

また酸素が嫌いだった微生物の名残りが私たちの体の中にある。それは細胞の核という部分です。細胞内には核の近くにミトコンドリアというエネルギーをつくり出す発電所の役目をもった部分がありますが、このミトコンドリアの活力が落ちると、核の部分と酸素がふれあってしまいます。

その様子を顕微鏡で見ていますと、酸素と核がふれあうと、瞬時にしてものの見事に核は死んでしまうのです。このことからわかるのは酸素は生きていくエネルギーを取り出すためには必要不可欠だが、それ以外のときには毒以外の何物でもないということです。

もしできるなら酸素をカプセルに包んで、エネルギーをつくるときだけそっと使い、あとは空気のない環境で生きられるとしたら、おそらく人間は何百年たっても生きていられるのではないか。それくらい酸素というのは生物にとって毒物なのです。

その証拠に食品も空気にさらされるとどんどん傷んできます。肉や魚は酸素にふれると十秒単位でわるくなっていきます。これが酸化という現象です。酸化した食品を食べると体内に酸化物を取り込むことになる。これはいわばサビを取り込むようなもので、取り込んだもの自身の酸化を促進してしまいます。

この酸化をおさえるはたらきをもつ物質が抗酸化物質で、ビタミンE、ビタミンA、ビタミンCなどには、そうしたはたらきがあります。野菜や緑茶、ハーブなど植物系の食品は、植物自身が酸化を防ぐために抗酸化物質をつくり出しているので、それを人間が食べることで抗酸化力をつけることができます。

食品を食べる理想をいえば、ジュースはとれたての野菜や果物を使ってその場でつくってすぐ飲んでしまうことです。缶に入れてもいくら上手に貯蔵しても、一定の酸化は免れません。健康のためには古くなった食品は絶対に口にしないことです。

寿司でもあらかじめネタ用に切ったのは、切口からどんどん酸化が進んでいます。ぜいたくをいうなら、一枚から切り取ってすぐに握ったものを食べるにかぎる。出前でとった寿司と寿司屋でにぎったものとでは、新鮮度を科学的に測定してみると、明らかに違っています。食生活というと何を食べるか、どれだけの量を食べるかに注意が向きがちですが、実は素材がどれだけ新鮮であるかも、それに劣らないほど重要な要素なのです。

新鮮さの観点から見たとき、いまの食品で注意を要するのは、一つは油を使った加工食品です。油を使った加工食品はほとんど植物油を用いています。植物油の脂肪は不飽和脂肪酸が多いのですが、分子構造が不安定のまま体内に入ると、同じように不安定な活性酸素と結びつきやすい。この両者が結びつくと、過酸化脂質という体のサビとなって、老化や成人病の原因にもなるのです。

仕事好きが定年で成人病になるわけ

食事が健康や若さを保つカギをにぎっていることは、最近ではだれもが知るようになり、それなりの努力をする人が増えています。高齢化社会になっても、健康体でなければ、せっかく伸びた寿命を楽しむことができないからです。

一方でガン、心臓病、脳血管障害といういわゆる三大成人病は、相変わらず幅をきかせ、大勢の人々の人生を暗く苦しいものにしています。これに加えて近ごろは脳の老化、ボケの心配をする人が増えてきました。

そこまで心配する年齢でなくても、若さの衰えを自覚する人も少なくない。働き盛りの年齢で成人病にかかり人生を途中下車しなければならないケース、またバリバリ働いてきたビジネス戦士が、定年を境に急に衰えてしまうといったこともよく見られます。

働くということに関してWHOがおもしろい実験をしています。元気でガンガン仕事のできる人に仕事をやらせない。仕事はやらせないが時間をたっぷり与えて、食事もお金も与えるのです。つまり仕事はさせないで、好きなだけ遊ばせる。そうすると簡単に成人病の兆候を現わすそうです。

仕事をするのは体によいことだ——そのことがWHOの実験からわかります。仕事が好きで仕事をすることに生きがいを感じている人、そういう人は仕事を一生懸命にすることによって、いちばん脳内モルヒネの出る状態をつくり出せるということになります。

仕事が好きなのに仕事をやらせないと、中性脂肪が増えたり血糖値が上がったりして、簡単に病気ゾーンに入ってしまう。定年後にボケたり病気になったりするのは、医学的に見ても当然起こりえることなのです。

恐ろしいのはいまの日本社会は程度の差はあれ、このWHOの実験のような環境を定年を通過した人間には自動的に与えてしまうことです。六十歳という年齢はまだまだ現役で働ける年齢です。

ところが「もういいよ、ご苦労さん」といってむりやり仕事を取り上げてしまいます。お金さえあれば、「食べること」についてはいまはだれも困らない。飢え死にするには逆に相当の努力がいる時代です。お金も年金というかたちで一定額は支給される。WHOの実験環境となんとそっくりなのでしょうか。

このような環境に人間をおくと、いとも簡単に成人病の兆候を現わすというのがWHOの実験結果でしたが、いまの日本はまさにそのような事態が起きているのです。健康と長生きは並行します。唯一の例外は医療技術によって植物人間のような人を生かしてしまうことで、それを除けばどうしても健康と長寿は並行せざるをえないのです。

ところがいまの日本の現状が、六十歳という本来なら働き盛りの人間を、いとも簡単に病気に追い込むような状況をつくっているとしたら、これから先、長寿国家は望めない。もしそれでも統計的に平均寿命が伸び続け、世界一の長寿国であり続けるとしたら、それはむりやり生かす人間の比率を増やすことにほかなりません。

そのような事態になってほしくない。これはだれしも同じ思いだと思います。そのためにはどうしたらよいか。それは国策でも法律でもなく、国民の一人ひとりが望むことを満たしてやることだと思います。

先にマズローの欲求段階説で説明したように、人間にはさまざまな欲求があります。そしてその欲求にはおのずとランクがあって、低次欲求がクリアされてはじめて次の欲求へとランクアップされていく。それぞれの欲求段階は異なっていますから、それをまとめてだれかが面倒みることは事実無理なことです。一定の環境のもとで各人の自助努力に委ねるしかありません。ではいま人々はどんな欲求を抱えているのでしょうか。健康関係にしぼれば、それは以下の項目に集約できると思います。

①若さ、美しさを保持したい
②痴呆症になりたくない
③長寿を保ちたい
④記憶力を保持したい
⑤老化速度をゆるめたい
⑥いつまでも現役でいたい

⑦疲れをとりたい
⑧ガンをはじめ成人病にはなりたくない
⑨やせたい
⑩ストレスをなくしたい
⑪ゆっくりしたい
⑫精力を保持したい

だいたいこんなところではないでしょうか。これらが全部クリアできれば、おのずと人生は楽しく活力に満ちたものになり、このような人が増えることが社会全体に活力をもたらすことになるわけです。

食生活で脳を活性化させる三つのポイント

病気というものが「個人の肉体に起きる現象である」というのが従来の病気観であったといってよいでしょう。ところがストレスの研究などで最近わかってきたのは、病気というものがいかに心と深くかかわっているかということなのです。

心ということになると、私たちの心は個人の中からだけでなく、社会とか時代の影響をまともに受けていますから、結局、社会環境がその時代の人の健康に与える影響は思いのほか大きいということです。

医者が個人の肉体を診察して、血液をとったり、心電図を見たりして、それが正常だから健康であるというとらえ方では、本当に健康な社会をつくることはできません。その人がどんな社会理念をもち、社会の中や家庭でどういう位置を占めているのか、そこまでわからないとその人を本当に健康にしてあげることはできません。

つまり一つの体という個体の中のバランスだけでとらえていては「いま」はわかっても「これから先」はわからない。「社会」と「体」と「心」の三つの調和がなければ真の健康とはいえない。「病いは気から」の「気」というのは社会がつくり出していくもので、その時代時代で少しずつ変わってきます。

医療が病気だけを見る時代は終わりました。これからは病気にならないこと、つまり予防について考えなければいけないのです。病気にさせないためには、栄養指導、運動不足解消、そしてストレス解消が不可欠です。

ストレスを中和するのはリラクセーション、すなわち瞑想であり、運動不足解消とはすなわち筋肉をつけ、ついた筋肉を衰えさせないということです。食事栄養面でのポイントは次の三点をしっかりと守ることです。

①良質のタンパク質（アミノ酸）を食べる

②血管の目詰まりを防ぐ

③活性酸素を中和する

食生活から脳の健康を守るのはこの三つが大切なのです。まず①ですが、脳内モルヒネは何から成り立っているかといえば、先にも述べたようにそれはタンパク質なのです。タンパク質はアミノ酸が鎖のようにつながったものですから、栄養素としてアミノ酸が必要になってきます。

前述したとおり、アミノ酸は二十種類ありますが、そのうち八種類は必須アミノ酸で外から取り入れないと体の中ではつくれない。あとの十二種類は体の中で合成できます。しかしいずれにしろ素材としての栄養は必要ですから、良質のタンパク質を毎日しっかり食べることです。それができないと脳は簡単にバテてしまいます。つまり早くボケや死が訪れるというわけです。

しかし脳細胞がだめになるのは個人差がある。脳細胞を活性化させておけば、だめになる数は減ってきます。脳細胞が死ぬかどうかのときにいちばん重要な役割をするのが脳内モルヒネですから、この脳細胞の栄養物をどんどん出すことができるようにしておくことが大切になってきます。

脳内モルヒネはいまのところ二十種類ほどわかっていますが、その中で重要な役割をしているのがチロシンというアミノ酸であることも、すでに何度か述べたとおりです。チロシンはアミノ酸一個というごく簡単な物質ですが、自然界のモルヒネとよく似ていて、その作用はほとんどモルヒネと考えてよいものです。

ただ自然界のモルヒネのように依存性や副作用はありません。脳内モルヒネではこのチロシンが重要な役割をはたしています。タンパク質は脂肪のように食いだめができない栄養素なので、必須アミノ酸をしっかり含んだものを毎日補給する必要があります。

具体的な食品でいえば肉類と魚類、あとは豆類がもっともよいタンパク源です。チロシンそのものは必須アミノ酸ではありませんが、脳内モルヒネはチロシンだけでできているわけではないので、いろいろなアミノ酸を取り入れなければなりません。

②は血管の目詰まりを起こさないことです。第二の心臓といわれる筋肉がそのカギをにぎっていることは、すでに第二章で述べたとおりです。しかし体に入ってくるものの大半

は食事をとおしてですから、この面からの配慮もひじょうに重要な点です。

血管の目詰まりに関係するのは脂肪が筆頭にあげられます。脂肪は食品のおいしさの源でもあるので、人間はどうしても脂肪の多いものを食べてしまうことになります。

そこで脂肪をどう食べるかですが、脂肪だけを避けるという食べ方ではなく、トータルとしての低カロリーを目指すのがいちばん無理のない方法でしょう。脂肪を避けると食事が味気なくなり、楽しみが奪われてしまうからです。

低カロリーは昔から食事のあり方の鉄則とされてきたことで、そのことは現在の飢餓地帯といわれる地域でも格言として残されている。それくらい大切なことです。若さと長寿の最大の敵は食べ過ぎといっても過言ではありません。

なぜ食べ過ぎがいけないか。脂肪というのは好んで血管にたまろうとするからです。まず血管、そして肝臓、次に皮下の順序でたまっていきます。このように脂肪はたまる性質があるので、体を動かして燃やすことも大切です。脂肪を燃やすには、できるだけゆるやかな運動が必要だということも、すでに第二章で述べたとおりです。

③は活性酸素を中和する対策で、食事でできることは抗酸化物質の摂取ということです。抗酸化物質というのは酸化をおさえる物質のことで、ビタミンE、ビタミンC、ビタミン

Aなどが知られています。この他にも緑茶やゴマ、緑黄色野菜や広範な植物、魚介類などから新しい抗酸化物質が発見されています。

もう一つは体内合成される活性酸素中和剤のSODをつくる材料を欠かさないことも重要な点です。SODは酵素すなわちタンパク質ですから、一つはタンパク質をしっかりとることがここでも大切になってきます。

もう一つはミネラルです。鉄、亜鉛、セレニウムなど微量ミネラルを食事からきっちりとることが体内SODを増やすために必要なことです。あと活性酸素対策としては、体をさびさせる性質をもつ油、主に植物油ですが、これを控えることです。

植物油は不飽和脂肪酸が多く、これは体内に入ると活性酸素と結びついて過酸化脂質というサビの素をつくります。これがタンパク質と結びついたのが、老人性のシミのような老化色素のリポフスチンです。

不飽和脂肪の中には必須なものもありますが、ごくふつうの食生活でも十分に足りるので、脂肪含みの食材はともかく、ドレッシングやマヨネーズのようなかたちでの油のとりすぎは極力控えるようにしたほうがよいでしょう。

活性酸素は体内でエネルギーを必要とするときに必ず発生します。それをいやだといっても止めることはできません。そればかりでなく、自然界にもそれは発生する。低気圧になると空気中に大量の活性酸素が発生し、持病のある人は症状が悪化するほどの影響を与えられるのです。

それでなくても、そもそも空気中に〇・二%の割合で活性酸素が存在する。つまり活性酸素とは天災みたいなもので、ライフスタイルで多少の差はあっても、生きているかぎり逃れることはできないのです。それだけにその毒を中和することは重要で、そのためには何を食べるか、どれだけ食べるかも、大きな意味をもっているのです。

第三章の要約

- 高カロリーの食事をすると、タンパク質であれ炭水化物であれ、あまった栄養素はすべて脂肪として蓄積される。
- 脳のためには高タンパク質の食品が絶対に必要であるが、その際に脂肪の摂取を免れない。血管の目詰まりは主に脂肪で起きるから、それを防ぐには低カロリーのものを取り入れるようにしなければならない。
- 快適な睡眠ができると体内から成長ホルモンが出る。成長ホルモンは眠っている間に筋肉を太らせてくれる。
- 食後すぐに興奮するとノルアドレナリンが出て、次に膵臓からグルカゴンというホルモンが出て血糖値が上がる。
- 記憶に関係する脳の中の海馬はエー・テン神経の支配下にある。脳内モルヒネを引っ張り出す神経の塊の根本がエー・テン神経（快感神経）である。
- 酸素はプラスの電位をもち水素のほうはマイナス電位をもっている。マイナスの電位をもっているもののほうが体のためにはよい。
- 泳ぐのは健康によいが、サラシ粉を投入したプールで泳ぐのはわざわざ健康を害しに行くようなものである。

●飲み水は水道水をそのまま飲むのは好ましくない。せめて浄水器で濾過した水を飲むようにしたほうがよい。

●納豆は脳細胞の活性化に役立つ食品の筆頭にあげられる。日本の生んだ最高の自然食品といってよい。

●大豆を使った食品は、アミノ酸バランスにすぐれ、脳内モルヒネの材料として最適なものである。とくに米飯との組み合わせは、米に少ないアミノ酸を大豆がもち、大豆に足りないアミノ酸を米がもっていることから、お互いに欠点を補って最高のアミノ酸バランスになる。

●生まれたての赤ん坊が母親の乳を上手に飲めるのは、ノウハウが脳にあらかじめインプットされているからである。

●記憶はＤＮＡ・ＲＮＡに刻まれていて、ふつうでは意識できないが自我はちゃんと知っていて、本能とか生理的な欲求になって現われてくる。

●毒性の活性酸素がいちばん出るのは、何といってもストレスによってである。

●ストレスとは生体に加えられた心理的、生理的な歪みのことである。物事をマイナスに受け止めると発生する。不安や心配、欲求不満や憎悪、嫉妬や羨望、劣等感。マイナス発想はすべてストレス源である。

●脳内モルヒネが出ればストレスはマイナスにははたらかない。

●好きな仕事を奪うと、中性脂肪が増え血糖値が上がり、簡単に病気ゾーンに入ってしまう。サラリーマンの定年ボケや成人病発病は好きな仕事を奪われた結果であることが少なくない。

脳内モルヒネをよく分泌させる食生活のポイントは次の三点である。

①良質のタンパク質（アミノ酸）を食べる
②血管の目詰まりを防ぐ
③活性酸素を中和する

第四章

脳が若ければ百二十五歳まで生きられる

いままで脳の健康が見過ごされていた

平均寿命が八十歳台になって、人々は「長生きできるようになった」といっていますが、人間の寿命は本来、もっと長いのです。百歳はらくらく超えて、百二十歳から百二十五歳までは生きられる。これが生物としてのふつうの寿命なので、人間はまだまだ早死にしているといってよいと思います。

よく犬猫の寿命はどのくらいか、馬は何歳まで生きられるかといいます。ふつうの寿命とはそういう計算をしたときの限界寿命のことで、人間の限界寿命はどんなに内輪に見積もっても百歳以下ではありえません。

東洋医学では「百六十歳説」というのがあって、神仙道などの本には超長寿の話がたくさん出てきますが、証拠がないのでなんともいえない。しかし日本にはいま百歳台のご老人が五千人余います。これを超長寿とみてはいけない。この方たちこそが人間本来の寿命を生きている人たちなのです。

百二十五歳とする根拠はどこにあるのか。これは脳が発育し続ける期間からはじき出した数字です。人間の脳はだいたい二十五歳まで成長する。脳の成長する期間の五倍が寿命なので、二五×五で百二十五歳。脊椎動物にはすべてこの数式があてはまるのです。

私の家系には百九歳、百七歳、百二歳と大台を超えたのが三人おりますが、まだ百十歳台に入った者がいない。私は今年五十五歳ですが、なんとかこの線をクリアしてみたいと思っています。いまの学問レベルでこの線は十分に実現可能な数字なのです。

ではなぜ人間は早死にするのか。平均寿命の数字は、事故とか乳幼児死亡が入ってくるので、実際より低くなっていますが、現実に百歳台が増えたといっても、まだ五千人台ではけっして多いとはいえない。どこかに寿命を短くさせている原因があるわけです。

いまいわれているのは、ライフスタイルということです。なかでも大きいのは食生活で、食べ過ぎや栄養の偏り、化学物質の影響などで寿命を縮めている。また夜ふかしとか昼夜逆さまにしたような生活もバイオリズムをこわしてよくない。運動不足は体をさびつかせる。こういうことが盛んにいわれています。

しかしいちばん肝心なのは脳なのです。頭さえしっかりしていて、筋肉があるていどついていれば百歳を超えてもすべて現役でいられる。脳を考えないで、いくら体を鍛えても食事に気を配っても、長生きはできないのです。

ところがいままでは頭を鍛えるといっても、どう鍛えてよいのかがわからなかった。

「頭を使え」とはいわれていましたが、ただ使っただけではたいした効果のないことは、これまでの説明でおわかりのはずです。

長寿のために頭を使えというのは、プラス発想をすることだったのです。プラス発想をすれば脳内モルヒネが出る。脳内モルヒネが出れば、脳細胞は活性化する。すべてのライフスタイルをそこへ向ければ、いつまでも若さを保ち、成人病とも縁がなくなるのです。

いま長生きを考えるとき、最大の敵は成人病です。これだけ医療技術が発達していながら、成人病はなかなか治せない。これはあたりまえで、感染症をやっつけるのと同じ方法論で、いくら成人病に取り組んでも、大きな効果は期待できません。

なぜなら成人病はその原因の八、九割がストレス、つまりは心の問題にかかわっているのに、西洋医学は病気を起こした局所ばかりに目がいって、肝心の心の治療をないがしろにしてきたからです。

しかしこれは一面では無理もないことでした。というのは病変を起こした局所は西洋医学ではいくらでもチェックできるが、心のほうは判断のしようがなかったからです。いまはそれができるようになった。脳生理学の発達で心の変化はかなりの部分が物質で説明できるようになったのです。

それではっきりしたのが、脳内モルヒネがよく分泌できるような生き方をすればよいということです。人間がこういうふうに生きたら、脳内ではこういう変化が起きる。その変化を見ていれば、その人が健康のままでいられるのか、近い将来にはどんな病気を抱えることになるのかが、手にとるようにわかってしまうのです。

ところが現代医療はここまでわかっていながら、実際にやっていることはまだまだ局所にこだわった治療なのです。胃が炎症を起こせば炎症を止める薬を与える。その薬が炎症を止めても他に副作用のあることを承知していながらです。

ガンができれば患部を切り取ろうとする。あるいは放射線で焼き殺そうとする。なぜできたのかを理解し、その原因をとりのぞかなければ、またガンができてくるに決まっている。それを承知で改めないのは、いまの医療制度が病人相手にしか行なわれていないからです。

健康な人は病院に来ません。来るのは病気になった人たちだけ。一方、健康づくりの施設は病人が入れない。病気になりそうな人もいない。ピンピンした若者たちが体を鍛えています。

加齢とともに、人間が衰えに向かうのはだれにも止められません。高齢化社会のいま、本当に必要としているのは、そういう人たちを病気にさせない発想と、そういう人たちを受け入れる適切な施設です。病気を治しに来るのではなく、未病の人たちがくつろぎにくる施設。そのような施設で「こうすれば病気にならない」という生活指導が行なわれれば、だれもが抱える健康問題は自然に解決して、与えられた限界寿命の百二十五歳をまっとうできるようになると私は考えています。

人間は病気になるのがおかしいのだ

人間は病気になるために生まれてきたわけではありません。だが今日、大半の人は病気で亡くなります。年をとれば病気でないのがおかしいと思われるくらい、病気は身近な存在になっています。医療は病人を救うためにありますが、これだけ発達しても、病人が減ったかといえば逆に増えています。

人間はそのつくりからいって、本来は病気一つしない健康体のまま限界寿命を生きられることになっています。にもかかわらず病気が増えるのはなぜか。それも難病といわれる病気が増えるのはなぜか。その原因は大きく分けて二つ考えられます。

一つはそもそも「病気になるのはおかしい」という気持ちがないことです。むしろ年をとっていけば「病気になって当然だ」と思っている。これは西洋医学の発達がもたらした皮肉な結果といってよいでしょう。昔は四百四病といって、病気の数は知れていた。それがいまは医者でさえとても全部は覚えきれないほどの病気があるのです。

これは局所、臓器別医学がもたらした大きな弊害なのです。臓器別医学は、病気の数だけ治療法が出てくる。しかもその治療法は局所の病気を治すことのみに専念するため、対症療法になって、その病気は治るが他の病気を引き起こすことがまれではないのです。

このようなことになったのは、医者にも一般の人にも「病気になるのはおかしい」という気持ちが希薄だからです。最近わかってきた重要な心理的事実に「人間は思ったとおりの存在になる」というのがあります。いま多くの人々が「病気になって当然だ」と思っているのですから、病気も病人も増えて当然なのです。

東洋医学は「病気にさせない」ことを念頭にしてきた、といいました。この考え方の背景には「人間は本来的に健康に生きられる存在である」という健康観があります。ここから出発するからこそ「病人が目の前に来たら手をついて謝れ」との考え方が出てくる。病気にさせてしまうのは、自分たちの指導が足りなかった医者の責任だという考え方からきているのです。

私はどちらかといえば東洋医学の考え方をしているので、仲間の医者とはよく議論をしました。「医学はまったく素晴らしい」と相手は考える。なぜ素晴らしいのか。「病気で苦しんでいる人を治してあげられるから」というのです。

たしかにそれも意義のあることです。でも病気になったのはなぜか。ここまでは考えない。「それは医者の介入すべきことではない。医者は病気を治すのが役目だ」という。これが西洋医学の考え方なのです。

また、この考え方を助長する社会的事情もあります。あらかじめ病気にならない方法を教えて未然に防いでしまえば、病院に来る人はいなくなって、医者は飯の食いあげになりかねない。それでは困るのです。

さらにわるいことはその治し方です。功をあせるといってはおかしいが、局所の病気だけを速やかに鮮やかに治そうとするため、体全体を見ようとしない。だからガン細胞はなくなったが患者は死んだというおかしなことになる。病気が治ることと患者が健康を取りかねない。それでは困るのです。戻すことが必ずしも一致していないのです。

こういうことになるのも、「病気になるのは本来おかしいことだ」との認識がないからで、これを改めないかぎり病気も病人も医療費も減ることはないでしょう。自然界を見渡して人間ほど病気をする動物はいません。動物は医者も薬もなしに種族を保存し繁栄しています。でも彼らに本当に医者も薬もないかといえば、そうではありません。

彼らは自分の脳に刻まれた本能によって、自然界から有益なものを取り入れ、有害なものは排除して生きている。身に備わった自然治癒力と体内製薬工場をフルに生かして、それだけで十分なのです。

この動物と基本的に変わらない生き方、つまり身に備わった生命力を生かしていこうというのが東洋医学の考え方でしたが、それはいつしか古びたものと見なされてしまいました。なぜかといえば、よくなる理由を合理的に説明できなかったからです。

ツボに鍼を打つとなぜ痛みを感じないのか。ツボを刺激するだけでなぜ病気が治ってしまうのか。科学的な説明ができなかったために、科学の積み重ねできた西洋医学の方法論が優位を占めるようになってしまったのです。

だがいまはそれが説明できるようになりました。陰陽とか邪気とかいっていたのは、電位であり、活性酸素であり、ホルモンであった。すべて物質としてとらえて説明が可能になったところで、改めて東洋医学を見直してみたら、いま西洋医学が困っている成人病系統の病気を治すのは、東洋医学がもっとも得意とするところだったのです。

病気が増える第二の理由、それはここ二、三百年間に人間がやってきたことと関係があります。とくにこの百年の間にしたことが大きい。象徴的な言い方をすれば、虫や雑菌の育たない環境では人間は滅びるということです。

農薬を使って昆虫や小動物から細菌まで殺して、見かけだけは立派で美しい野菜や果物をつくりましたが、これは明らかに間違いだったのです。たとえば、いまアトピーがはやっていますが、常在菌と上手に暮らせなくなったのがアトピーなのです。

人間の皮膚には善玉や悪玉のいろいろな菌がいて、お互いに慣れ親しんで肌が守られていた。そのバランスがくずれた結果がアトピーを増やしたのです。腸の中にも百種類以上の菌が棲息し人間と共存しています。

共存ということはお互い害もあるが益もあって、いわばもちつもたれつの関係を保ちながら共存共栄を図ってきたのですが、局所治療の薬物や化学物質まじりの食物、飲料水などが共存のためのバランスをくずしてしまいました。

小動物や昆虫、微生物が住めないような土壌で育ったものを、われわれは食べてはいけないのです。昆虫や細菌、動物たちと食べ物を奪いあうような環境のほうがむしろ健全である。その意味で、最近、話題になっている琉球大学の比嘉照夫教授が発見したＥＭ（有用微生物群）などは、そういう環境に戻すものとしてどんどん使ったほうがよいものです。

何度もいうようですが、人間はもともと健康で百二十歳台まで生きられるようにつくられている。たとえば肝臓という臓器は八割切り取っても大丈夫なのです。それくらい体にはキャパシティがある。そんなしぶとい人間が限界寿命の百二十五歳まで到達できないのは、健康観が間違っているからです。人間は元来健康に生きられる存在であり、必要なものはすべて体の中にそろっているということをしっかり覚えておいてください。

長寿者に共通するのは「クヨクヨしない」

しかしだからといって、まったく自由に好き勝手にやって、長寿は獲得できるものではありません。長生きするポイントが三つあることはすでにお話しました。いまここでちょっとおさらいをしてみると、身近なところからいえばまず食事が第一にあげられます。

このことを東洋医学では「医食同源」といってきました。この言葉の「医」は治療のことではありません。治療の意味にとれば「病気に効く食べ物がある」と解釈しなければなりませんが、そうではなく「食べることすなわち医であり食である」ということです。

つまり食べ方を誤ると健康を損なう。正しい食事をすれば、体の健康が保たれ病気にならないということ。その正しい食事とは高タンパク質・低カロリー食のことです。食生活が健康のカギをにぎっていることは、みんな意識するようになっていますが、何を食べたらいいか、どれだけ食べたらいいかで、迷っている人も多いと思います。

一般論としては昔のお寺の精進料理が一つの参考になると述べました。たしかにそのとおりなのですが、人間は一人ひとりの条件が違っています。尿酸値が高い人もいれば糖尿の気がある人もいる。あるいは肝臓が弱っているといったようにです。

私のところの人間ドックは、運動も含めて一人ひとりの健康状態に合わせたメニューを指導していますが、健康ゾーンの人はともかく、病気ゾーンにある人には、その条件にあった食生活が大切です。個人指導がポイントになってきます。

いまはそれを指導する人がいない。病気になればいろいろしてくれるが、いまは病気でないがちょっと危ないという人に、「こういう食生活をしなさい」と適切なアドバイスが与えられないのが現状です。

私は職業がら、百歳長寿者の方にときどきお目にかかる機会がありますが、この方たちの食生活は健康ゾーンの人たちの参考になるかもしれません。百歳長寿者に共通するのは、①好き嫌いなく、なんでもよく食べる、②量は腹八分と控え目、③動物性のものに偏らず野菜をよく食べる、④よく体を動かす——などです。

その他に気をつけたいのは、動物性脂肪にかぎらず植物性脂肪も取り過ぎないことです。植物油は不飽和脂肪酸が多く、体内で活性酸素と結びついて体をさびつかせ、細胞膜を傷つけたりします。植物油はとくにとる必要はないので、できるだけ控えたほうがよいでしょう。

和食、洋食の区別では和食に軍配があがります。これは日本人だからひいき目でいうのではなく、成人病予防の食事スタイルは日本食が世界でいちばんすぐれている。良質のタンパク質を忘れず、塩分の取り過ぎを控えれば、日本食は最高の長寿食といえます。

長寿の二番目の条件は血管の目詰まりを防ぐことでした。すべて老化は血管からはじまります。糖尿病も痛風も高血圧、動脈硬化も、最終的には全部、血管の目詰まりの結果引き起こされます。

血管の目詰まりを防ぐ方法は二つありました。一つは筋肉を衰えさせないこと。筋肉には心臓と同じ血流をよくするはたらきがある。筋肉が弱るとそれだけで血流をわるくしてしまう。そのことが血管の目詰まりに関係してくることはすでに説明したとおりです。

それからもう一つ、血管の目詰まりは脂肪が関係しています。コレステロールとか中性脂肪は好んで血管にたまりたがる。これは燃やすにかぎりますが、脂肪は筋肉の中でしか燃えない。脂肪を燃やすためにも筋肉を鍛えることが大切になってきます。

年をとってくるとどうしても運動量が落ちてきます。しかしこれはわるいことばかりではありません。若くないのに過激な運動をすると、活性酸素の害のほうが大きくなる。だから年とともに運動量が減るのは自然の摂理でもあるのです。

しかし人間は動物ですから、動きまわることだけはやめてはいけない。動きまわれなくなったら動物は死んでしまいます。人間はなんとかなりますが、やはり動けないことは決定的なマイナス要因といえます。

ふつうに動きまわれれば、若いときについた筋肉がそんなに減ることはありません。減らなければ血流は保てる。成人病が増えた理由の一つは、世の中が便利になって車に乗ったりして、人が動かなくなったことも大きいのです。

長寿のポイントの三つ目は脳の活性化です。あらゆる人間の活動は脳の指令によって行なわれます。私たちは脳によって生かされている。脳が衰えることは体が衰えることに直結しています。

ただ脳の使い方がいままで間違っていました。「頭を使いなさい」といっても、どう使うかはあまりいわれなかった。長生きに役立つのはプラス発想なのです。世界中どこへいっても長寿者に共通する条件があります。

それは「クヨクヨしない」ということです。これはプラス発想にほかならない。それができる人は脳内モルヒネを出すのがうまい。何もむずかしいことに頭を使わなくても、脳内モルヒネが出るようにすればいいのです。

その目安になるのは脳波のα波ですが、この状態になるには、自分が気持ちよくなること、楽しくワクワクすることを思い、また、そういうことを行なうことに尽きるといってよいでしょう。

毎日が忙しくて、なかなかそうした機会をもてない人に一つよい方法を伝授します。どんなに忙しい人でも一日一回は眠るはずです。この機会を利用するのです。

日常の現実がいまどうであれ、眠りにつく前のひとときに、自分の夢とか希望、計画を思い浮かべる。あるいは自分の楽しかった思い出にひたる。心地よい気分で眠りに入ると、脳細胞が活性化するだけでなく、筋肉にもよい刺激を与え運動したのと同じ効果が得られます。

もしひどいストレスがあって、それが頭を離れない場合は、とにかくひたすらプラス発想してみることです。はじめはきついかもしれませんが、これが体得できるかどうかが健康と長寿を獲得できるかどうかの別れ道なのです。

もちろん、ただ長生きすればいいというものではありません。生きているかぎりは健康で頭もボケないで生きたいと思うはず。食事と筋肉とプラス発想を実行すれば、それはきっと手に入れられます。

高齢化社会に入って、その実像というものがだんだん見えてきました。社会的弱者になった老人を若い労働力が支える。だから「高齢化社会はしんどい社会になる」といわれてきましたが、そうとばかりはいえないようです。社会の第一線を退いた高齢者が思ったほど社会的弱者でないことがわかってきたからです。

むしろ経験豊かな人生の先輩として、まだまだ社会に必要な人たちです。体力のいることは若者に引き継いで、高齢者には本当の経験が役立つことをしてもらわねばならない。そのためには健康と頭の冴えが必須条件、自分のためにも世の中のためにも、お年寄りには長生きをしてもらわねばなりません。

医者は三器のうち薬とメスしか使っていない

世の中には病気で泣いている人もいますが、健康すぎて人生のムダ遣いをしている人もけっこういます。かなり年をとっていながら、周囲もあきれるほど健康で精力に満ち満ちている。それで何をするかというと、ガリガリお金を稼ぐ。社会的地位を望む。名誉をほしがる。そのことじたいは非難に値しません。

だがそのような人が山の中で遭難したらどうなるか。彼は自分が必死で手に入れたものがそこでは何一つ役に立たないことを思い知るはずです。お金や名誉が命よりも大切だと思っている人がいますが、それが通用する世界は想像以上に狭いのです。

山の中で小切手を書いてもだれも受け取ってくれません。人の十倍、百倍お金を儲けても百倍は食べられない。百倍は生きられないのです。世俗的な成功をした人ほど孤独になっていく。周囲に親身になって話す人がいなくなるからです。

サラリーマンでも会社一辺倒でやってくると、そのときはよくても定年近くになると「おれはこんなことをしていていいのだろうか」と考えるようになるものです。そういう疑問を感じるのは、真に満たされていなかったからでしょう。

そういう生き方がむなしいとはいいません。ただどこかで発想を切り替えないと、もうだめなのではないか。それというのも世の中が変わってきているからです。マズローの欲求段階説でいえば、戦後の日本は第一レベルの食欲を満たすことからはじめましたが、安全の欲求も所属の欲求も満たされ、現在は承認の欲求から自己実現の欲求へ入ろうとしているのだと思います。自分がよくなれば、会社がよくなれば……では満足できないのです。

人と競争して勝ち抜いてお金や地位や名誉を獲得する。それを世界がこぞって拍手喝采する。こういったアメリカンドリームみたいなのはもうはやらない。人を踏み台にし蹴落として勝つような生き方はこれから通用しなくなるのではないでしょうか。

なぜかといえば共生のルールが確立されないと人類は滅びる可能性があるからです。いまの環境破壊なども自分で自分の首を絞めるのと同じことです。ところが人間は元気で成功しているうちはなかなかそのことに気がつきません。

有頂天のときは人のいうことなんか耳に入らないのです。また逆に失意のどん底のときもだめです。よくあるのは九死に一生を得たような場合です。大病して臨死体験をする。そして、生き返るとガラリと考え方が変わります。

その意味では病気もあながちわるいことではありません。順風満帆できたのが大病して生死の境をさまよう。その瞬間ハッと気がつく。それがいつかが問題です。死の床で思いついてもおそい。おそくないかもしれないが、できればもっと早く気がついたほうがよいに決まっています。

健康すぎて人生のムダをしている人というのは、電気をつけっぱなしでガンガン卵を産ませる養鶏場のニワトリに似ています。卵の数は変わらないから、ニワトリは早く卵を産めなくなり肉にされてしまうのです。世俗的に成功した人の中には、あっけなく早死にする人がいますが、きっとそういうことなのだと思います。

自分の人生だからどう生きようと自分の勝手だという理屈もありますが、私の知るかぎりではいままでかなり自分本位でやってきた人も、やっぱり健康で長生きしたい、世のため人のために尽くしてみたいという思いにとりつかれるようです。そういうとき私は脳内モルヒネの話をします。

元気のよい人ははじめはなかなか聞いてくれませんが、何かの拍子にフッと素直に理解してもらえるときがあります。私が医者冥利につきるのはそういうときです。なぜなら病気になる確率がグンと低くなるからです。

医者に三器ありといいます。薬とメスと言葉の三つです。いまの医療は薬とメスにばかり頼っていますが、言葉によっても治療はできる。言葉の治療とは、その人自身の自然治癒力を引き出すことですから、医者としてもっとも誇りにしてよいことなのです。

太極拳では吸気と呼気をよく問題にします。吸って吐くのを繰り返すのはよくないという考えからです。呼気も吸気も一回止めるのです。そうすると血管が広がって代謝が高まるのです。たとえば吐いているときは、胸の中の血管は広がりますが、他は収縮してしまいます。止めたときがいちばんバランスがいいのです。

そのときわるい気が抜けていく。武道などでもこの呼吸法を活用しています。気功も東洋医学の重要なものの一つですが、太極拳を気功と思っている人がいます。たしかに太極拳は気功の一つではありますが、太極拳イコール気功ではないのです。

気功とは広い概念で、太極拳も他の武道も瞑想も含まれます。自分というものをどうとらえるか、いわば何物にもとらわれないリラックスした状態に自分をもっていき、そこから人生を考えるのが気功なのです。

だから自分が動かしたいように体を動かすのも気功なら、楽しいことを考えながら道を歩くのも気功、世のため人のためになることを考えるのも気功なら、最愛の妻と一緒にくつろいで散歩するのも気功です。要は自然界のエネルギーにあったリズムで脳内ホルモンのバランスを整える法が気功なのです。

どんなときでもプラス発想できる法

脳内モルヒネを分泌するための最高の条件はプラス発想をすることです。だが実際に、プラス発想は口でいうほど簡単ではないかもしれません。なぜなら人生は成功よりも失敗、楽しいことよりつらいことのほうが多いからです。

楽しいことがあったときプラス発想するのは簡単です。だが失敗したときやつらい環境でいかにしてプラス発想するか。これは脳内革命をするにあたってはきわめて大きな問題です。

プラス発想の真髄は、とてもプラスには思えないことをプラス発想で考えるところにあります。たとえば船井総研の船井幸雄会長は最愛の肉親を亡くしても、天をうらむのではなく、「自分に起こることはすべてベストと思え」とおっしゃっています。

凡俗の人間はなかなかその境地へは達せられないという気もしますが、マイナスにしか思えないような事態でどうプラス発想するかは最大のテーマなので、このことについて少し考えてみたいと思います。

たとえば最愛の人を失ったとき人はどう感じるか。自分がそのような目にあうことをしていれば自業自得と思えますが、自分になんの落ち度もない、相手にもないという場合がいくらでもあります。

生まれたての赤ん坊が突然亡くなるようなとき、両親の悲しみは察してあまりあります。この子はなんのためにこの世に生を受けたのか。親にいったん喜びを与えておいて、次にはそれを根こそぎ奪い去って悲嘆のどん底に落とすためなのか。そうだとしたらあんまりだ、神も仏もないものかと、天を呪いたい気持ちはわかります。

しかし呪ってどうなるでしょうか。その話は聖書の有名なヨブ記に出てきます。富、家族、名誉と世俗のもので何一つ不自由なく、また信仰心においても並ぶ者がないといわれたヨブ。彼にあらゆる厄災がふりかかったとき一時は天を呪いますが、やがて自分にその資格がないことを悟る。被造物たる人間に創造主の意図はわからないということです。

医学的に見てもわれわれの体のつくりにはわからないことがいっぱいあります。肝臓一つとっても、その二〇%も使っていないのです。だから八割は切り取れる。脳細胞も百八十億個のうちのほんのわずかしか使っていない。

ふつうの細胞にはヘイフリックの限界といって寿命があるのに、なぜガン細胞だけは栄養さえあれば永遠に生き続けられるのか。これも不思議なことです。こういう疑問にはまだきちんとした解答が与えられていない。しかし最近になって一つだけはっきりしてきたことがあります。

それは、脳が私たちに「健康になりなさい」「成功しなさい」「人生を楽しみなさい」といっていることです。もちろん人間には自由意志が与えられていますから、別の選択肢をとることもできます。だが人生を幸福に生きたいと思う人には、そのような人生を選ぶことができる。それが脳内モルヒネの発見でわかってきたのです。

ただしそれには条件があって、さっきのヨブではありませんが、どうも創造主の意図するところに反すると、いくら幸福になりたいと思っても、逆方向へと向かわせられる。ノルアドレナリン、アドレナリンの世界がそれです。

脳の命令とは創造主の命令と考えられます。では創造主が何を意図しているか。それを医学的な見地からみていくと、結局は自己実現を目指しなさいということに帰着します。では自己実現とはなんなのか。マズロー博士のキーワードを借りれば、それは真、善、美、躍動、個性、完全、必然、完成、正義、秩序、単純、豊富、愉しみ、自己充実のことです。

要するにだれが考えても正しい生き方、立派な生き方、人から非難されることなく楽しく充実した生き方。そういう生き方をすることが自己実現ということであり、人間が生まれてきた目的もこれにあるなら、至福の喜びを感じられるのもこれだというのです。

あまりに立派すぎて、思わずマユにつばをつけてしまいそうですが、脳内モルヒネに関連するエー・テン神経のはたらきを考えると、やはりこのへんに人生の真実があるように思えてきます。

前述したごとくエー・テン神経は原脳にあって、つまり爬虫類も犬猫も備えている神経です。この神経は快感神経と呼ばれ、ここの細胞が刺激されるといい気持ちになる。セックスの快感も食欲の満足感も、快感と呼べるものはすべてこの神経細胞が刺激されることからはじまる。脳内モルヒネの源というわけです。

ただこの神経には不思議なことが一つあります。ふつうどんな神経でも正負の関係があって、どこかでブレーキがかかる。どんなに性欲が強くても満たされれば、それをおさえるはたらきのホルモンが出てきてブレーキをかけるのです。これを負のフィードバックということは前に述べました。

食欲の場合はグルカゴンというホルモンとインシュリンがそういう関係にあります。脳内モルヒネの場合もギャバという抑制物質がはたらきます。ところがエー・テン神経が人間のいちばん上位脳である大脳の前頭連合野と連動するときだけは、ブレーキに相当するものがいっさい見あたらないのはどうしたわけなのでしょうか。

つまり人間が真善美にかかわったり、正義の行動をしたりするときには、それを妨げるものがない。脳内モルヒネはいくらでも出てくる。脳内モルヒネは自然界のモルヒネにくらべて効力が強いですから、人間が自己実現しているときの快感は尽きることがない。このことに私は創造主の意図、目的を感じるのです。

一般に芸術家が長生きなのは、彼らの扱うものが真善美だからでしょう。彼らには脳内モルヒネが絶えず分泌し、それが創作意欲になると同時に創作の喜びにもなっていることは想像に難くありません。

ナイチンゲール、シュバイツァーが九十歳の長寿を保ったのも、世のため人のために生きたからでしょう。俗人からみれば「つらいことが多いだろうに、何が楽しみであれだけのことができるのか」と思うでしょうが、実はわれわれが感じるのとはケタ違いの快感を味わっていた可能性が大きいのです。

偉人賢人たちの跡をながめて「ご苦労なことだ」と思うのは、それこそ俗人の浅知恵というもので、とんでもない隠し財産を彼らは保有していたことになります。

その秘密を知ったからには、われわれもそれにならってみようではありませんか。それが人生を楽しくさせ、若さと健康、長寿を保証してくれるのなら、これを利用しない手はないでしょう。

二十世紀のどんづまりにきて、このような事実が明らかにされたことは、世の中がいま大きく変わろうとしていることとあわせて、そこに見えざる何者かの意志を感じるのは私だけではないでしょう。

立派すぎることには、いままで畏怖尊敬の念は抱いても、それに自分が挑戦してみようという勇気は俗人たる私たちにはなかなか湧かなかったものです。なぜなら、それはとてもつらそうで、少しも楽しく思えなかったからです。

だがいまや事情は一変したのです。人間にとって最高の喜びは、前頭連合野とエー・テン神経を連動させることである。それはマズロー博士の説によれば自己実現である。

自己実現する人間は「至高体験」を味わっている、とみたマズロー博士の慧眼には驚くばかりです。

「病気にならない」「病気にさせない」のが目的

私は病院事業の他に人間ドック、フィットネス、メディカル・エステ、ウェルネスなどにも手を広げているため、拡大主義者と思われることがあるのですが、これはまったくの誤解というもので、私が目指しているのは「病気にならない」「病気にさせない」ということだけです。

人間ドックをつくったときもそうでした。ふつうの人間ドックは病院と大差ありませんが、そこへ来るのは病人ではなくみんな健康人です。しかし何か病気が発見されるのではないかと内心ドキドキしています。

そういう人に無用の心理的な負担をかけないで、むしろくつろぎ楽しんで「ああ、来てよかった」と思いながら帰っていただくために少し工夫をしたのです。まず内装を完全な和風にして、案内するのも看護婦さんではなく、和服を着たエスコート嬢にしたのです。

BGMで琴の音を流し、検査後は懐石料理のサービス。ビールもOK。あんまり型破りなためか、いろいろ物議もかもしました。しかし値段はよそと同じ。「なんだ、これは」と来訪者はみんな驚くわけです。

人間ドックで行なういろいろな検査は不安を感じさせるし、胃カメラなどはストレスのタネになります。それでは病人にさせないための場所で病気のタネをまいているようなものので、だから健康人はなかなか人間ドックへ行きたがらないのです。

しかし未病段階で病気にさせないためには検査は不可欠です。そこで足を運びやすくする一案として、和風ホテルっぽい空間を演出してみたのです。経営的には赤字覚悟ではじめたのですが、思いがけずに押すな押すなの満員になりました。

いまではフィットネスやメディカル・エステの施設もあり、将来はウェルネスホテルをつくるつもりでいます。これらを全部ひっくるめて「トータル・ヘルス・エンジニアリング」と呼んでいるのですが、東洋医学をより生かすには病人ばかりが来る病院だけではだめなのです。

人間ドックではその人のアキレス腱を探し、どこがどう弱いのか、ほうっておくとどうなるかをきっちりとみて、「このままでは脳をやられますよ」「心臓をやられますよ」「ガンになりますよ」とアドバイスします。それもただ「なりますよ」ばかりではなく、「ならないためにどうすればよいのか」の処方箋も出しています。

処方箋の内容は食事と運動と瞑想、およびメディカル・マッサージです。ふつうの人間ドックはいろいろな数値を出しますが、それだけでは一般の人はそこから先どうしたらよいのかわからない。病気にしない方法があるのに、きちんとそれをやらないのはお金にならないからで、いまの保険医療制度がわるいのです。

もしも「健康にしたらこれだけ保険から払います」というシステムにしたら医者も目の色を変えてやるのではないでしょうか。いまは本来のあるべき姿の逆になっていることが多いのも改めるべき点でしょう。たとえば自分の健康のために医者に頭を下げるのもおかしいことです。医者がいばっているのもヘンな話です。東洋医学では病人に謝らなければならない。それがあべこべになってしまっています。

最近、インフォームド・コンセントがいわれていますが、これも「いまさら」の感がぬぐえません。医者になって三十年、私がやってきたのがそれだったからです。はじめはヘンに思われていました。いまになってようやく意味がわかってもらえた。幸い私は子供のころから東洋医学を知っていたのでそれができたのですが、いま東洋医学はどんどん見直されてきましたから、これからは医療も少しはよい方向へと進むと思います。

いまいちばん考えなければいけないのは、健康のために何かを犠牲にするのをやめることです。薬物療法がその典型的な場合といえます。子供のぜんそく発作や、アレルギーも、引き金は薬物であることが多いのです。前にも紹介しましたが、インシュリンを打っていた糖尿病患者が私のところではインシュリンも飲み薬もいらない。食事療法と運動と瞑想およびメディカル・マッサージで薬物をはずしていけるのです。

理想をいえば、病気で医者の世話にならないのがいちばんよいのです。日常生活の中で自分でやれる方法を医者が伝授し、それを実現すれば、ほとんどの成人病は防げます。なぜなら成人病の大半はその人の日常生活の乱れに起因しているからです。

はじめは健康ゾーンにいた人が、わるい生活習慣を身につけることで、しだいに病気ゾーンへと移行していく。そのプロセスがわかれば、その段階で適切なアドバイスができます。しかし、現実はほとんどの場合、そのようなアドバイスをしてもらえない。してもらえるのは、かかりつけの医師をもっているような人たちだけです。

そういう人たちの受けるアドバイスも、とおりいっぺんのことが多いのですが、私は病気にさせない専門のかかりつけ医になりたいと思っています。東洋医学は予防、健康増進に医療の中心をおき、その人の自然治癒力を引き出すのですから、医者といえどもそう考えるのが自然だと思うのです。

医療が病気だけをみる時代はもう終わりを告げています。これからはだれもが「病気にならない」ことを考えてほしいのです。医者も患者もその考えで一致すれば、それだけで医療費は激減するはずです。

もっと右脳を使えばα波の状態になれる

脳波からみると脳内モルヒネの出ている状態は必ずα波の状態です。α波と脳内モルヒネはペアだということがわかっています。α波が出る状態は覚醒でも睡眠でもない、その中間の状態のことです。

目覚めて日常行動しているときは、緊張しているのでβ波になります。ぐっすり寝ているときはθ波、δ波です。目覚めながら眠っているのと同じレベルに脳の活動を落とすと、たいへんなメリットが出てきます。

つまり潜在脳を活用できるということです。DNAには本能の他に、先祖たちの経験した知恵や情報が刻まれているといいましたが、それは右脳にストックされています。右脳が活躍できるのはα波のときですから、この潜在脳を呼び覚ますには、リラックスが絶対条件になってきます。

脳波がα波状態になってβ―エンドルフィンが分泌されると、自分の内部に眠っていた才能が動き出すようです。右脳にストックされた記憶や情報は、自在に引っ張り出せるので、ふだんβ波のときには考えられないような才能が発揮できるのです。このことがα波の最大の利点といえるでしょう。

脳波をα波にするコツは左脳を静かにさせることです。右脳と左脳をくらべると、ふだんはどうしても左脳優位になります。言葉や計算、論理をつかさどる左脳は、いわば理性の座であり、人間が目覚めて社会の中で行動しているときは、ほとんど左脳の世界にいます。

左脳は生まれてきてから受けた刺激を全部ストックしていると考えられます。しかし繰り返し刺激を受けると、右脳へとインプットされていく。右脳にインプットされると、これは遺伝子に刻印され永久保存されるようになります。

生まれつき絵がうまいとか音感が鋭いといった天賦の才能は、こうして過去の人間の先天脳に刻み込まれたものが、その人の段階で開花したものといえます。しかしだれの先天脳にも何か素晴らしい才能は眠っているはずで、それを引っ張り出せれば、だれもが何かの天才になれるのです。

教育というのはその人間のもっともよい才能を発見するために行なわれるべきで、そのためにはいまのような画一的な教育システムは、せっかくの才能の芽を摘むようなものですから、あまり好ましくありません。

いまの教育には自由闊達さがありません。統一規格で平均点がよければいいという教育では、ある方面にずば抜けた才能があっても他が劣ると、落ちこぼれにさえされかねない。そんな教育は、ひと昔前の企業に役立つ人間ばかりをつくってきたのです。それはまるで左脳ばかりを使って効率のよい部品をつくっているようなものです。戦後の復興期にはそれも必要だったかもしれませんが、いまは百害あって一利なしといってよいものです。

本当は右脳が使えたらいちばんいいのです。ノルアドレナリンやアドレナリンは自分で意識してエネルギーを発生させないと出てきませんが、右脳はあまりエネルギーを使わないで効率よくドーパミンをはたらかせられるからです。省エネでしかも一人ひとりが個性をもって、自分の最高の能力を発揮できるようになったら、世の中がどんどんよいほうへと変わっていくはずです。そのためには脳内モルヒネを分泌できる教育、α波の状態になれる教育が必要になってきます。

個人でそういう状態をつくり出すにはどうしたらよいでしょうか。最近は脳波計があるので、それを使えば自分の脳波状態がすぐにわかる。それを使って自分の脳波がどうやったら α 波になるのかを知り、できるだけその状態の時間を多くもてるような訓練をするといいでしょう。

もう一つは信念をもつことです。人間はだれもが自分なりの神とか絶対的存在、あるいは憧れの世界をもっているものです。それを通常われわれは信念と呼んでいます。信念をもつと物事に動じなくなる。またプラス発想もしやすくなります。

この状態は宗教に熱心な人によく見られます。宗教にはまってしまうと、外から見ておかしいと思っても、本人はそれで幸福なのだということがよくわかります。どのような宗教でもそれなりに信者を獲得できるのは、信じることで脳内モルヒネが出るからです。

これと同じ状態になるには宗教でもよいわけですが、信念や使命観もその代わりになります。一つの信念をもつと脳のコントロールがしやすくなるのです。いまの教育がよくないのはこの信念に欠けているからです。

いま、いじめが大きな社会問題になっていますが、これなどは信念のない社会がつくり出した典型的な弊害といえるでしょう。世間では被害者に過剰な同情を与え、加害者のみを糾弾するのに熱心ですが、私にいわせれば加害者もまた被害者なのです。

よく交通事故の加害者がそのあとにしだいに運命を狂わせて、結局は被害者以上の被害者になっていくことがありますが、いじめの加害者の末路もこれとよく似ています。いじめっ子たちは脳の発育過程からみて、その精神構造はマズローの一番目の欲求の段階にあると考えられます。なぜそういえるかというと、安全の欲求がまだないからです。とくに心の安全についてはまったく無防備としかいいようがない。だれが見てもわるいと思う行為を繰り返しているのがその証拠です。

たとえば脅迫によって多額のお金を奪うのは、発覚すれば弁解の余地のないことです。そのような行為を平然と繰り返すのは、一種の自殺行為とみてもよい。それ以前の欲求のために自分を滅ぼすことも厭わない。その欲求とは子供たちにとっての生きがいなのです。

彼らは自分の存在価値を確認できる生きがいがほしくてほしくてたまらない。それを求めるが満たされないので、やけになって破滅的ないじめに走っていると考えられます。自分がこう生きたらいいのだという姿が見えてこない。それでイライラしているのです。

もう少し脳が発育すれば、自分がいましていることの恐ろしさがわかってくる。そうすれば自然に安全の欲求が出てきて、自分にとってマイナスでしかない行為には歯止めがかかってくるはずです。

いじめ多発の背景には画一的な教育の弊害があります。自分が望むと望まないとにかかわらず朝から晩まで勉強させられる。本当にしたくて勉強する人間などほんのひとにぎりしかいません。そのひとにぎりの子供たちは勉強することで脳内モルヒネが出て、明るく前向きに勉強ができる。大人は「○○ちゃんを見習いなさい」と思わずいいたくなる。だが同じことをやっても、他の子供たちは脳内モルヒネでなくノルアドレナリン、アドレナリンが出るのです。

子供は遊びのなかで体を鍛え、仲間との交流で人間社会を学び、そうやって大人になる準備をします。スポーツなどで競っては、「すごいやつが世の中にはいるものだ」とか「努力すれば、それなりの成果が得られる」「いやなやつと思ったがいいやつだった」とかいいながら成長していくのです。

ところがいまの教育は絶対的価値評価のものさしですから、相手よりいい点をとることだけを善とし、相手を蹴落とすこと、敵視することしか学べない。早い話が「自分だけよければいい」ということになっていくのです。

だいたい、勉強でいい成績をとったら、いい大学を出て官僚になる、一流企業に就職する。そのていどのことしか頭にないことじたいが発想の貧しさを現わしています。自分は何になりたいのか、どういう人生を望むか、自由にそういうことについて考える楽しみを完全に奪われている。このような時代に生きる子供たちがかわいそうでなりません。

一クラスの集団があれば、なかには学業に飛び抜けた子が一人や二人はいるものです。だが同時にその方面はまったくだめな子も一人や二人います。また腕力がバカに強い子、人に取り入るのがうまい子、いろいろな個性がまじっています。

それを「学業成績のいい子以外はカスだ」といっているのがいまの教育法です。これでは学業成績以外の才能のもち主はとてもやっていられない。腕力を発揮する場がないから、金属バットで親を殴ったり、切り取り強盗まがいに金銭を強奪したりする。こういうことを起こさせているのはわれわれ大人たちの責任なのです。

もっとレベルを高めて、われわれは何のために生まれてきたのか、どう生きるのが正しいのか、そういうことを教えなければならないのですが、大人自身があまり考えていないのが現状ですから、まず自分たちがそれらについてじっくりと考えてみる必要があります。

半導体や自動車を効率よくつくって、たくさん輸出して大金を儲ける。それも必要な行為の一つですが、それればかりになってしまった戦後の日本は、教育面では大きな失敗をしたといってよいでしょう。

生きる楽しみの発見が脳内革命なのだ

ミもフタもない言い方をすれば、人間は快感原則に忠実に生きている動物です。脳内モルヒネという観点から人間をながめてみると、脳内モルヒネを出すことのみを、とことん追っかけている姿が浮かび上がってきます。それを低次欲求で満たしていたら、われわれは爬虫類や犬猫と大差ない存在になり下がってしまいます。

幸いなのは脳内モルヒネ系と脳の前頭連合野が連動していること。前頭連合野には人間の英知と呼ばれるものが詰まっていて、これと快楽神経のエー・テン神経が直結されることで、人間は楽しみながら高みへと昇っていけるのです。

たとえば子供がぬかるみで転んだとします。そのとき自分の着ているものが汚れても助けてあげる人もいれば、一方で知らん顔の人もいます。このとき助けてあげた人の心理はいったいどういうものなのでしょうか。

文字どおり自分が泥をかぶって他人に尽くしたわけですから、どこから見ても立派な行為といえます。しかしこれとても自分の脳がそれを求めた結果にほかならず、求めたからにはいい気持ちが味わえたのです。

助けようとしなかった人間は、脳が求めなかったのです。求めないのに義務や責任感でやればノルアドレナリンの世界ですから、結局は自分が損をする。そのことがわかっているから助けようとしないのですが、そういう人は結局は神様からごほうびがもらえない人たちです。

世界中を見渡して、脳内モルヒネを出す名人といえば、ヨーガの行者でしょう。肉体をとことん痛めつけて、脳内モルヒネを出す訓練を積んでいますから、いついかなるときでも快感を感じることができる。うらやましいといえばうらやましいのですが、進んで弟子になって教えを乞う気持ちにはなれません。

見事な手品師に出会ったような驚きはあっても、けっして精神的に高い境地にあるとは思えないからです。つまり彼らの脳内モルヒネ分泌は、どうもあまり高いレベルとはいえない。いくら脳内モルヒネが出ても神様からごほうびがもらえないこともあるのです。

人間は一人ひとりが異なる使命をもって生まれているような気がします。それが何か自覚できたとき、神様がごほうびとして脳内モルヒネを出してくれ、このうえない充実感とあくなきバイタリティ、前向きの考え方をもたらしてくれるのだと思います。

それを見つけるには、DNAに聞いてみるしかない。そのためには脳波を α 波にして心の深層のささやきに耳をすませることです。

脳内革命とはそのことであり、それは生きる楽しみの発見でもあります。自分の使命がわかったとき、以後の人生は喜びに包まれて永遠に絶えることがないはずです。

第四章の要約

- 人間は百二十五歳まで生きられる。脳の発育年限の五倍が脊椎動物の寿命であり、人間の場合二十五歳まで脳が成長するから二五×五＝百二十五歳となる。
- 人間は病気になるために生まれてきたわけではない。にもかかわらず病気が多いのは、そもそも「病気になるのはおかしい」という気持ちがないからだ。
- 人間の皮膚には善玉や悪玉などいろいろな菌がいて、お互いに慣れ親しんで肌が守られているが、アトピーはそのバランスがくずれると起きる。
- 小動物や昆虫、微生物が住めないような土壌で育ったものを、われわれは食べてはいけない。動物たちと食べ物を奪いあうような環境のほうがむしろ健全である。
- プラス発想の真髄はとてもプラスには思えないことをプラス発想で考えるところに存在する。最愛の肉親を亡くしても、天をうらむのではなく「自分に起きることはすべてベストである」と思うような場合である。
- 脳の命令とは創造主の命令と考えられる。創造主の意図するのは自己実現を目指すことである。自己実現とは何なのか。マズロー博士のキーワードを借りれば、真、善、美、躍動、個性、完全、必然、完成、正義、秩序、単純、豊富、愉しみ、自己充実のことである。

●――だれが考えても正しい生き方、立派な生き方、人から非難されることなく楽しく充実した生き方。そういう生き方をすることが自己実現ということであり、人間の生まれてきた目的もこれにあるから、至福の喜びを感じられるのである。

●――生まれつき絵がうまいとか音感が鋭いといった天賦の才能は、過去の人間の先天脳に刻み込まれたものが、その人の段階で開花したものといえる。

●――どんな人の先天脳にも何か素晴らしい才能は眠っている。それを引っ張り出せれば、だれもが何かの天才になれる。

●――α波を出すには信念をもつことだ。信念をもつと物事に動じなくなり、プラス発想しやすくなるからだ。

●――ミもフタもない言い方をすれば、人間は快感原則に忠実に生きている動物である。脳内モルヒネから人間をながめてみると、脳内モルヒネを出すことのみをとことん追いかけているのが人間である。

●――人間は一人ひとりが異なる使命をもって生まれている。それが何か自覚できたとき、脳内にごほうびの脳内モルヒネが出て、このうえない充実感とあくなきバイタリティ、前向きの考え方をもたらしてくれる。

参考文献

(1)佐竹隆三著『あなたの運命は変えられる』 山手書房
(2)ジバナンダ・ゴーシュ著『インドヨガ教典』 評言社
(3)スティーヴン・ロック他著『内なる治癒力』 創元社
(4)ビル・モイヤーズ著『こころと治癒力』 草思社
(5)山口修源著『仏陀出現のメカニズム』 国書刊行会
(6)平山雄著『ガン予防ビタミン最前線』 立風書房
(7)大木幸介著『脳がここまでわかってきた』 光文社
(8)新里里春他著『交流分析とエゴグラム』 チーム医療
(9)高田明和著『「病は気から」の科学』 講談社ブルーバックス
(10)林峻一郎著『「ストレス」の肖像』 中公新書
(11)サミュエル・バロンデス著『心の病気と分子生物学』 日経サイエンス社
(12)師岡孝次編『長寿の健康科学』 日本プランニングセンター
(13)星恵子著『ストレスと免疫』 講談社ブルーバックス
(14)世界保健機関（WHO）編『労働者の健康増進』 中災防
(15)天外伺朗著『ここまで来た「あの世」の科学』 祥伝社

春山茂雄（はるやま しげお）

一九四〇年京都府に生まれる。実家が東洋医学の医家であったため、幼少より鍼灸指圧などの修業をし、八歳にして師範の資格を得る。一九六六年東京大学医学部卒業。東京逓信病院外科、東京都教職員互助会三楽病院外科科長を経て、八七年神奈川県大和市に田園都市厚生病院を開設、同院院長。西洋医学と東洋医学を融合した治療・健康指導で高い評価を得ている。また、和風人間ドック、シルバーマンション、メディカルエステなど、従来の枠を越えた幅広い医療事業はマスコミでも注目されている。医学博士。

田園都市厚生病院　〒242神奈川県大和市中央林間2－6－17　TEL0462（76）1110　FAX0462（74）0076

脳内革命

一九九五年六月　五　日　初版発行
一九九六年十月　九　日　第九十三刷発行

著　者　春山茂雄
発行人　柑川恵一
発行所　株式会社　サンマーク出版
東京都新宿区高田馬場一－三二－一三
サンマークビル（電）〇三－五二七二－三一六六

印刷　図書印刷㈱
製本　㈱若林製本工場

ISBN 4-7631-9123-3 C0030

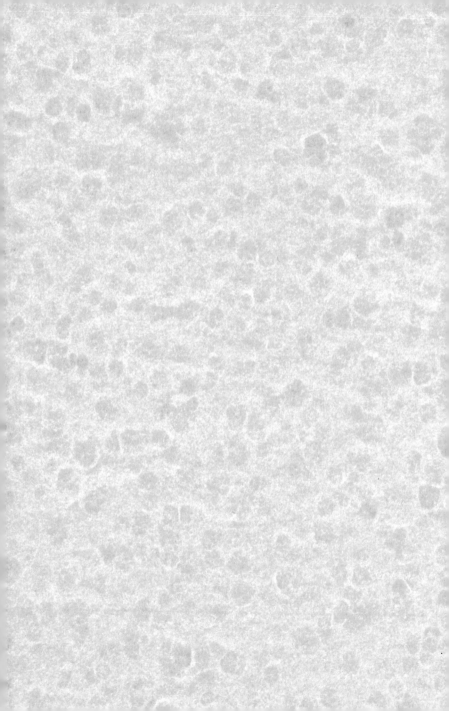

David [illegible]